Distribution

Pour le Canada:

Les messageries ADP
955, rue Amherst
Montréal (Québec)
H2L 3K4
Tél.: (514) 523-1182

Pour la France:

Dilisco
122, rue Marcel Hartmann
94200 Ivry-sur-Seine
France
Tél.: (1) 49 59 50 50

Pour la Belgique:

Vander, s.a.
321, avenue des Volontaires
B-1150 Bruxelles (Belgique)
Tél.: (32-2) 762 9804

Pour la Suisse:

Diffusion Transat, s.a.
Route des Jeunes, 4ter
Case postale 1210
CH-1211 Genève 26
Tél.: (022) 342 7740

Vous êtes unique,
ne devenez pas
une copie!

Données de catalogage avant publication (Canada)

Mason, John L., 1955-

    Vous êtes unique, ne devenez pas une copie!

    Traduction de: You're born an original, don't die a copy!

    ISBN 2-89225-305-5

    1. Acceptation de soi – Aspect religieux – Christianisme. 2. Vie chrétienne. I. Titre.

BV4647.S43M3714 1997   248.4   C96-941440-4

Cet ouvrage a été publié en langue anglaise sous le titre original:
YOU'RE BORN AN ORIGINAL DON'T DIE A COPY!
Published by Insight International
P.O. Box 54996
Tulsa, Oklahoma 74155
Printed in the United States of America
All rights reserved under International Copyright Law

Copyright © 1993 by John Mason
Les citations bibliques proviennent de *La Sainte Bible de l'école biblique de Jérusalem*, © 1961, Les Éditions du Cerf, Paris.

©, Les éditions Un monde différent ltée, 1997
Pour l'édition en langue française

Dépôts légaux: 1er trimestre 1997
Bibliothèque nationale du Québec
Bibliothèque nationale du Canada
Bibliothèque nationale de France

Conception graphique de la couverture:
SERGE HUDON

Version française:
SONIA SCHINDLER et LARA VAN DEXEYL

Photocomposition et mise en pages:
COMPOSITION MONIKA, QUÉBEC

ISBN 2-89225-305-5

(Édition originale: ISBN 0-88419-355-1, Insight International, Oklahoma)

Disponible en anglais chez Access Sales International (ASI)
2448 E. 81st Street, Ste. 4705, Tulsa, OK 74137 USA

 IMPRIMÉ AU CANADA

John L. Mason

Vous êtes unique, ne devenez pas une copie!

Les éditions Un monde différent ltée
3925, Grand-Allée,
Saint-Hubert (Québec),
Canada J4T 2V8

Je suis fier de dédier ce livre à ma merveilleuse femme, Linda, et à nos quatre magnifiques enfants, Michelle, Greg, Mike et Dave.

À Linda, pour ses prières, son accord et son encouragement.

À Michelle, pour ses idées.

À Greg, pour sa patience.

À Mike, pour son amour des œuvres du Créateur.

À Dave, pour son caractère heureux.

Sans leur amour, leur soutien, et leur authenticité, ce livre n'aurait jamais été écrit.

Remerciements

Il est impossible d'écrire un livre comme celui-ci sans l'aide de quelques «relations divines». Je remercie spécialement trois hommes uniques particulièrement remarquables:

Mike Loomis, qui m'a encouragé autant que faire se peut à être unique, à me tourner vers l'avenir et à finir ce livre.

Tim Redmond, dont les mots laissent toujours une résonance positive en moi et que j'ai l'honneur de citer plusieurs fois dans cet ouvrage.

Tom Winters, dont l'exemple m'a poussé à devenir un homme volontaire et intègre.

Table des matières

Deuxième partie:

La concentration est un outil puissant

Troisième partie:
Gardez le regard tourné vers le ciel

Introduction

J'ai le privilège de prendre la parole plusieurs fois par année à travers tout le pays, et c'est l'une des grandes bénédictions de ma vie. Par conséquent, je passe une bonne partie de mon temps dans les aéroports. Lorsque je m'y trouve, je suis toujours ému à la vue de ces centaines de personnes pressées qui ne vont nulle part. J'éprouve de la compassion non seulement pour cette masse de gens, mais également pour certains en particulier.

J'aimerais pouvoir les arrêter et leur demander: «Vous rendez-vous compte que Dieu a prévu un plan unique pour votre vie? Saviez-vous qu'Il vous a parfaitement conditionné pour que vous puissiez l'exécuter? Êtes-vous conscient que ce qu'Il désire pour vous, c'est une vie de paix, d'abondance, de satisfaction, et d'amour?

C'est pour cette raison que j'ai écrit ce livre. Premièrement pour m'attaquer à la médiocrité qui consiste à faire n'importe quoi sauf ce que Dieu veut que vous fassiez. Deuxièmement, pour stimuler les talents qu'Il vous a donnés!

Je sais que vous m'avez confié l'une de vos ressources les plus précieuses: votre temps. Je vous promets de faire de mon mieux et d'être un bon intendant des minutes que nous allons passer ensemble. C'est pourquoi, j'ai divisé ce livre en 52 vérités, tout comme mon autre livre, *An Enemy Called Average**. Vous n'aurez pas à attendre dix pages pour trouver un point essentiel, vous en trouverez dix par page.

Je prie pour que Dieu vous révèle le plan qu'Il vous réserve, pour qu'Il stimule tous les dons qu'Il vous a donnés et qu'Il vous pousse à agir en vue d'accomplir le plan magnifique qu'Il a dressé à votre intention.

---

*   Version française à paraître aux éditions Un monde différent.

Première partie :

L'introspection

Combien de généralités remarquables connaissez-vous?

Combien de personnes remarquables connaissez-vous, dotées de caractéristiques uniques et distinctes? Ne soyez pas une gelée vivante. Ce que monsieur Éric Hoffer a dit est vrai: «Quand les gens sont libres de faire ce qui leur plaît, ils s'imitent généralement les uns les autres.» L'homme est la seule créature qui refuse d'être ce qu'elle est vraiment.

N'attendez pas de miracles, vous êtes un miracle. Vous êtes «de façon redoutable, fait d'une manière merveilleuse.» (Psaumes 139, 14). Ne soyez pas impressionné par les autres et n'essayez pas de les copier. Personne ne peut être vous-même de façon aussi efficace et habile que vous le pouvez. Lorsque vous utilisez pleinement les talents que vous avez, les gens disent que vous êtes doué. Une des choses les plus difficiles à faire pour grimper à l'échelle du succès, c'est de passer à travers la grande quantité de copies qui se trouvent au premier échelon.

Vous êtes un spécialiste. Vous n'avez pas été créé pour répondre aux besoins de tout un chacun. Plus de 90% de toutes les fleurs dégagent un effluve désagréable ou sont inodores. Pourtant nous recherchons celles dont le parfum est suave. Distinguez-vous! «C'est en suivant le chemin qui oppose la moindre résistance que les rivières deviennent tortueuses et les hommes malhonnêtes», a dit Larry Bielat. Nombreux sont ceux qui transforment leur vie en cimetière en enterrant leurs talents et leurs dons.

La copie s'adapte au monde, mais la personne unique fait en sorte que le monde s'adapte à elle. «Et ne vous modelez pas sur le monde présent, mais que le renouvellement de votre jugement vous fasse discerner quelle est la volonté de Dieu, ce qui est bon, ce qui lui plaît, ce qui est parfait.» (Romains 12, 2)

Il n'est pas nécessaire qu'une majorité de gens se mette d'accord pour effectuer d'importants changements – quelques personnes authentiques, uniques, et une bonne cause suffisent. Vous êtes le seul dans tout l'univers à posséder les qualités qui vous caractérisent. Vous êtes spécial... vous êtes rare. Et tout ce qui est rare possède une grande valeur. Vous n'êtes pas insignifiant; vous êtes précieux. Dieu vous aime tel que vous êtes. Mais Il vous aime trop pour vous laisser tel que vous êtes.

La célèbre tragédie de Hamlet aurait-elle pu être écrite par un comité? Le portrait de Mona Lisa aurait-il pu être peint par un club? Le Nouveau Testament aurait-il pu être rédigé sous forme de rapport de conférence? Les idées créatives ne prennent pas vraiment naissance au sein de groupes. Elles proviennent d'individus. «L'étincelle divine jaillit du doigt du Seigneur et se manifeste par le doigt d'Adam», a dit A. Whitney Griswold.

Une personne authentique et unique est toujours difficile à trouver, mais facile à reconnaître. Dieu guide chaque âme différemment. Vous êtes à nul autre pareil. Il n'a jamais existé et il n'existera jamais quelqu'un d'autre comme vous. Toutes les ténèbres de l'univers ne sauraient éteindre la lumière divine de votre âme.

Vous êtes unique

La passion est l'étincelle qui déclenche votre motivation

Dieu a donné à chacun la possibilité de connaître la passion. La passion d'une seule personne représente une somme d'énergie supérieure à l'«intérêt» dont pourraient faire preuve 99 personnes.

Bien des gens ne font que s'«intéresser» à leur destin. «Tout ce que tu trouves à entreprendre, fais-le tant que tu le peux, car il n'y a ni œuvres, ni comptes, ni savoir, ni sagesse, dans le shéol où tu vas.» (L'Ecclésiaste 9, 10)

Nous aimons tous quelque chose. C'est cet amour, c'est notre passion qui nous façonne et nous motive. Si vous ignorez les choses qui vous passionnent, vous ignorez le grand potentiel dont vous a doté le Seigneur. Rien d'important n'a jamais été accompli sans passion. Jésus était un homme passionné. Il est mort pour nous à cause de l'amour passionné qu'Il nous vouait.

La plupart des gagnants ne sont que d'anciens perdants qui ont enfin connu la passion. La pire défaite au monde, c'est de perdre son enthousiasme, sa passion. Lorsque la passion vient s'ajouter à une croyance, celle-ci se transforme en conviction et ce sont deux choses différentes. Les croyances correspondent aux faits. Les convictions nous donnent la persévérance nécessaire pour les mettre en œuvre.

Les convictions passionnées vous permettent d'accomplir tout ce que vous voulez, sauf d'abandonner les choses qui vous tiennent à cœur. Mon ami Mike Murdock m'a dit un jour: «Ce qui éveille la passion et le zèle en nous est un indice de ce que sera notre destin. Ce que nous aimons est la manifestation de notre potentiel.»

Seule la passion vous permettra de mettre à exécution les plans que le Seigneur a dressés pour vous. La Bible nous enjoint: «Et maintenant, Israël, que te demande Yahvé ton Dieu, de suivre toutes ses voies, de l'aimer, de servir Yahvé ton Dieu de tout ton cœur et de toute ton âme.» (Le Deutéronome 10, 12) «Sans passion, l'homme n'est qu'une simple force latente, une potentialité, tout comme la pierre à feu attend le choc du métal pour faire jaillir l'étincelle.» (Henri Frederic Ameil). Le pessimisme n'a jamais permis de gagner une bataille. «Mon œil est attiré par bien des choses. Mon cœur n'est attiré que par quelques-unes... et ce sont celles-là que je poursuis», a déclaré Tim Redmond.

Laissez jaillir la passion qui est en vous afin que votre destin se réalise

Questions

Il est important de remonter à la source de ses croyances et de se demander: «Qui a dit ça?»

Faites-vous des promesses ou prenez-vous des engagements?

Vous faites-vous des amis avant d'en avoir besoin?

Dieu vous semble-t-il très lointain? Si tel est le cas, devinez quel est celui qui s'est éloigné?

Qui crée votre univers personnel?

Avez-vous une grande force de volonté, ou vous laissez-vous abattre par le premier obstacle?

Lors de votre dernier échec, avez-vous abandonné la partie parce que vos efforts s'étaient soldés par un échec ou vos efforts se sont-ils soldés par un échec parce que vous avez abandonné la partie?

Êtes-vous un ami fidèle?

Est-il facile ou difficile de travailler avec vous?

Est-ce que vous gagnez votre vie ou est-ce que vous la vivez?

Si les générations à venir dépendaient de vous sur le plan spirituel, quel genre de guide seriez-vous?

Prenez-vous suffisamment de risques pour exprimer votre foi en Dieu?

Récitez-vous un «Notre Père» le dimanche à la messe et vous comportez-vous ensuite comme un orphelin le reste de la semaine

Êtes-vous disposé à prêcher ce que vous mettez en pratique?

L'échec vous décourage-t-il ou accroît-il votre détermination?

Existez-vous ou vivez-vous?

Dieu est-Il votre espoir ou votre excuse?

Qu'est-ce qui prédomine dans votre journée?

Chez combien de personnes avez-vous éveillé le désir de connaître Dieu?

Avez-vous accompli votre mission sur terre?

Combien de gens égoïstes et heureux connaissez-vous?

Combien de gens connaissez-vous qui ont réussi en faisant quelque chose qu'ils détestent?

Quelle force est plus puissante que l'amour?

«Y a-t-il rien de trop merveilleux pour Yahvé?» (Genèse 18, 14)

Si l'on vous arrêtait pour votre bonté, y aurait-il suffisamment de preuves pour vous condamner?

Qu'y a-t-il de plus triste que de ne pas respecter la volonté du Seigneur?

La peur veut vous faire fuir quelque chose qui ne vous menace pas

L e grand évangéliste Billy Sunday a déclaré un jour: «La peur a frappé à ma porte. La foi a répondu... et il n'y avait plus personne dehors.» C'est ainsi qu'il faut réagir devant la peur. Pourquoi la peur aime-t-elle se glisser à la place de la foi? Les deux ont bien des choses en commun – elles sont fondées sur la croyance que ce que l'on ne voit pas se produira. La foi s'arrête là où commence la peur, et la peur s'arrête là où commence la foi. Nos pires craintes ne se matérialisent presque jamais et la plupart de nos soucis ne font que peupler notre imagination. «Il est inutile d'ouvrir son parapluie avant qu'il ne pleuve», a dit Alice Caldwell Rice.

Vos craintes au sujet de votre avenir ne sont que des projections mentales. «Ne craignez point le jour dont vous n'avez pas encore vu l'aube.»(Proverbe anglais). La crainte vous empêche d'exercer les muscles du risque. Il paraît que la peur est une chambre noire où l'on développe des négatifs. Tout comme une chaise berçante, la peur vous donne un élan, mais ne vous mène nulle part. Si vous ne pouvez pas vous empêcher de vous faire du souci, rappelez-vous que l'inquiétude ne vous sera d'aucun secours. Un de mes amis m'a dit un jour: «Ne me dis pas que l'inquiétude ne sert à rien. Les choses que je crains ne se matérialisent jamais.»

La plupart de nos craintes sont fondées sur la peur des hommes. Mais il est dit dans la Bible que: «Yahvé est ma lumière et mon salut, de qui aurais-je crainte?» (Psaumes 27, 1) «En Dieu je loue sa parole, à Dieu je me fie et ne crains plus, que me fait à moi la chair?» (Psaumes 56, 5). Les gens s'inquiéteraient moins de ce que pensent les autres à leur sujet s'ils savaient que les autres ont bien d'autres préoccupations.

La plupart des gens croient en leurs doutes et doutent de leurs croyances. Respectez donc la sage maxime suivante: «Cultivez votre foi, vos doutes s'évanouiront.» Bien des gens sont tellement hantés par la peur qu'ils passent leur vie à fuir quelque chose qui ne les menace même pas. La crainte de l'avenir gâche le présent. Ne craignez point le lendemain. Dieu est toujours présent. Ne craignez jamais de confier un avenir inconnu à un Dieu connu.

Suivez donc le conseil de Howard Chandler: «Chaque matin, je consacre 15 minutes à remplir mon esprit de Dieu; il ne reste plus de place ensuite pour les soucis.» Un ancien poème, *Le Pasteur de la Prairie*, résume bien tout cela en quelques phrases: «Le rouge-gorge dit un jour au moineau: "Je voudrais bien savoir pourquoi les êtres humains sont si anxieux et constamment accablés de soucis?" Et le moineau lui répondit: "C'est probablement parce qu'ils n'ont pas de Seigneur au Ciel qui les protège comme toi et moi."»

Ne craignez pas d'être vous-même

La lecture de cette page vous donnera l'élan nécessaire pour aller là où vous le voulez

Savez-vous pourquoi cette page est importante? Cette page est le tremplin qui vous propulsera vers votre avenir. C'est un point de départ qui vous mènera là où vous le désirez.

Dieu a donné à chacun d'entre nous le potentiel pour réussir. Et pourtant, il faut faire presque autant d'efforts pour rater sa vie que pour la réussir. Néanmoins, des millions de gens se laissent aller à la dérive, enfermés dans des prisons qu'ils ont construites eux-mêmes – tout simplement parce qu'ils n'ont pas décidé de ce qu'ils veulent faire de leur vie. Il est toujours plus pénible de ne pas suivre la voie que nous a tracée le Seigneur que de respecter sa volonté. De fait, «bien des gens confondent les mauvaises décisions avec le destin.» (Kin Hubbard).

Il est dit dans la Bible: «Faute de vision, le peuple vit sans frein; heureux qui observe l'enseignement.» (Les Proverbes 29, 18). Dieu a des plans pour vous. L'insatisfaction et le découragement ne résultent pas d'un manque de biens matériels, mais d'un manque de vision.

En restant unique et en suivant les plans que le Seigneur a dressés pour vous, vous brillerez comme une étoile au firmament. Il est futile d'essayer d'être quelqu'un d'autre. On peut prédire un brillant avenir aux gens qui ont conscience de leur destin. Le plus lourd fardeau dans la vie, c'est de ne rien avoir à porter. L'importance de toute personne repose sur la cause à laquelle elle consacre sa vie et sur le prix qu'elle est prête à payer. La mission que vous vous fixez déterminera le cours de votre vie.

Ne prenez pas à la légère les rêves et les espoirs que Dieu a éveillés en vous. Chérissez-les car ce sont des enfants nés de vous. D'après le docteur Bob Jones père: «Il vaut mieux mourir pour une cause que vivre sans cause.» Un homme sans principes ne suscite pas beaucoup d'intérêt.

Le vent ne pousse jamais un navire qui n'a pas de destination. Une personne sans convictions est comme un navire sans gouvernail. En général, les gens ont trop d'opinions et pas assez de convictions. Dieu ne planterait aucun désir en vous s'il ne comptait pas les satisfaire. Nous nous méfions trop de notre cœur et pas assez de notre tête. Tant que Dieu sera votre ami, ne craignez pas vos ennemis. Seuls ceux qui se donnent une mission triompheront dans la vie. «Le destin de chaque être humain est sa bouée de sauvetage.»

Agissez immédiatement

Pour avoir l'âme bien trempée, il faut passer par des épreuves

Avez-vous déjà subi un échec ou commis une erreur? Tant mieux! Dans ce cas, cette «vérité» vous est destinée. L'échec prouve que vous n'avez pas terminé votre mission. Les échecs et les erreurs sont un pont vers la réussite et non pas un obstacle.

La Bible dit: «Yahvé mène les pas de l'homme, ils sont fermes et sa marche lui plaît; quand il tombe, il ne reste pas terrassé, car Yahvé lui soutient la main.» (Les Psaumes 37, 23-24) L'échec ressemble à un fait, mais ce n'est qu'une opinion. Peu importe l'ampleur de votre échec; l'important c'est de retomber sur vos pieds.

Selon Theodore Roosevelt: «Mieux vaut entreprendre des projets grandioses et remporter des triomphes glorieux, quitte à subir des échecs, que de se ranger parmi ces pauvres âmes qui ignorent la joie et la souffrance, car elles vivent dans un crépuscule grisâtre qui ne connaît ni victoire ni défaite.» L'un des plus grands risques dans la vie, c'est de prendre trop de précautions afin de ne jamais commettre d'erreurs ni subir d'échecs.

Personne n'a jamais connu le succès sans avoir frôlé le désastre à un moment donné. Il vaut beaucoup mieux essayer de réaliser quelque chose, quitte à subir un échec, que de ne rien tenter du tout. Ceux qui ne commettent jamais d'erreurs doivent se sentir terriblement las de ne jamais rien faire. Si vous ne commettez pas d'erreurs, cela signifie que vous ne prenez pas assez de risques.

Le succès consiste à se relever une fois de plus. «On ne se noie pas en tombant dans l'eau; on se noie en y restant», a dit l'écrivain Edwin Louis Cole. Relevez-vous donc et continuez votre chemin. D'après la Bible: «Qui masque ses fautes point ne réussira; qui, les avouant, y renonce, obtiendra merci.» (Les Proverbes 28, 13)

Vos rêves ne s'évanouiront pas suite à un échec retentissant, mais à cause de votre indifférence et de votre apathie. La meilleure chose à faire après un échec, c'est d'en tirer une leçon et d'en oublier les détails.

L'échec peut devenir un boulet ou, au contraire, vous donner des ailes. La seule façon de renaître de ses cendres, c'est de continuer son chemin. On ne réussit pas du premier coup : 99 % des succès reposent sur d'anciens échecs.

Selon un ancien poème: «Le succès n'est que l'envers de la médaille de l'échec, le reflet argenté des nuages du doute. On ne sait jamais à quelle distance il se trouve. Il peut sembler lointain tout en étant proche. Ne perdez pas courage, même après une cuisante défaite. C'est lorsque tout semble perdu qu'il faut persévérer.»

L'échec est le signe précurseur de la victoire

Vous ne verrez jamais le soleil se lever en regardant vers l'ouest

La clé du succès, c'est de se montrer réceptif. Par exemple, si en lisant ce livre vous vous montrez réceptif en disant au Seigneur: «Je suivrai le chemin que vous me tracerez», vous en retirerez plus de profit que si vous vous contentez de le lire pour vous motiver ou vous inspirer. L'action ne découle pas de la pensée: il faut être prêt à assumer ses responsabilités. Préparez-vous mentalement à prendre vos responsabilités.

J'ai connu bien des gens qui étaient de véritables puits de science, mais qui n'ont jamais eu une seule idée originale. «Partout, les yeux regardent. Rares sont ceux qui voient», a dit J. Oswald Sanders. Le problème, c'est que nous sommes littéralement submergés d'informations, mais que la révélation se fait désespérément attendre.

Chaque jour, nous faisons le choix de résister ou de recevoir. Rien ne meurt plus vite qu'une nouvelle idée dans un esprit borné. Nul ne peut apprendre ce qu'il croit déjà savoir. Jésus a fait de sévères remontrances aux pharisiens, car ils lui opposaient un refus de recevoir.

La disponibilité est votre qualité la plus précieuse. Satan tremble lorsqu'il entend le plus faible serviteur de Dieu déclarer: «Oui, Seigneur, je le ferai!» Lorsque votre visage est tourné vers Dieu, vous tournez le dos au diable. Ne vous laissez jamais guider par autre chose que votre foi.

Notre cheminement avec Dieu commence par le mot «Suivez» et finit par le mot «Allez!» Les occasions que nous envoie le Seigneur ne réveilleront pas ceux qui sont endormis. «Il faut s'agenouiller pour planter des graines dans le sol», a dit Brooks Atkinson. Le chrétien agenouillé voit bien plus loin que ceux qui sont dressés sur la pointe des pieds.

Les occasions se présenteront à vous si vous savez les reconnaître. Il faut apprendre à recevoir. Sans cela, c'est comme prier Dieu qu'Il nous rende prospère et s'apprêter à recevoir ses dons dans une tasse minuscule. Ne demandez pas au Ciel que la pluie arrose vos champs si vous vous plaignez ensuite qu'il y a trop de boue.

Nous percevons généralement les choses non pas telles qu'elles sont, mais en fonction de notre propre vision. Selon l'attitude que nous adoptons, nous percevrons partout la présence de Dieu, ou nous ne Le verrons nulle part. Nous sommes souvent prisonniers des limites que nous imposons à notre esprit. Nous cherchons le rouge et ignorons le bleu; nous pensons au lendemain alors que Dieu dit «maintenant»; nous cherchons partout et la réponse est sous notre nez.

Une bonne attitude mentale permet de recevoir tous les dons que le Seigneur nous envoie.

Mettez-vous en état d'agir

Celui qui a de l'imagination n'est jamais seul et n'est jamais au bout de ses ressources

Dieu vous a doté de créativité. Vos yeux recherchent les occasions, vos oreilles sont à l'affût de la bonne direction, votre esprit a soif de défis et votre cœur est à la recherche de Dieu.

Montrez-vous créatif chaque jour. Les réalisations les plus grandioses ont toutes commencé par un rêve. Les gens d'action sont tout d'abord des rêveurs. Le miracle de l'imagination est tel que l'esprit a le pouvoir d'allumer son propre feu. La capacité est une flamme, la créativité est un feu. Les gens authentiques et uniques ont la faculté de poser un regard neuf sur les choses. Votre imagination est encore plus puissante qu'un avion: elle a le pouvoir de décoller de jour ou de nuit, dans n'importe quelle circonstance. Laissez-la prendre son essor!

Selon la première épître aux Corinthiens (2, 16): «Qui donc *a connu la pensée du Seigneur, pour lui faire la leçon?* Et nous l'avons, nous, la pensée du Christ.» Ne savez-vous pas que nous avons également reçu une partie de Sa créativité?

Un génie, c'est quelqu'un qui vise une cible que personne d'autre n'avait vue et qui l'atteint. On dit souvent: «Chaque chose en son temps.» Mais le monde appartient à ceux qui ont su prévoir les événements et surmonter les obstacles dans leur imagination bien avant les autres. Nous devrions analyser l'avenir et agir en conséquence.

Bien souvent nous agissons ou n'agissons pas, non pas à cause de notre volonté, mais en raison de notre imagination. Vos rêves sont une indication de votre magnifique potentiel. Vous saurez distinguer les idées qui vous viennent de Dieu car elles ont la puissance d'une révélation.

Grand-mère vit un jour le petit Billy en train de courir autour de la maison en se donnant des coups. Elle lui en demanda la raison. «Eh bien», répondit Billy, «j'en avais assez de marcher et j'ai décidé de faire un peu de cheval.» Le célèbre sculpteur Michel-Ange se tenait devant un bloc de marbre quand le propriétaire lui dit que le marbre n'avait aucune valeur. «Il en a à mes yeux», répliqua Michel-Ange. «Un ange s'y trouve emprisonné et c'est à moi de le libérer.»

À vrai dire, les autres sont peut-être plus intelligents que vous, ou plus instruits, ou peut-être ont-ils plus d'expérience, mais personne n'a le monopole du rêve, du désir ou de l'ambition. La plus petite idée peut se traduire par une multitude d'occasions. «Seuls ceux qui ont une vision peuvent avoir de grands espoirs et entreprendre de grandes choses», disait Woodrow Wilson.

La Bible nous rappelle encore une fois: «Faute de vision, le peuple vit sans frein; heureux qui observe l'enseignement.» (Les Proverbes 29, 18) Ceux qui ne savent pas faire preuve d'imagination sont incapables de réaliser ce pour quoi ils ont été créés. Un rêve est l'une des choses les plus passionnantes qui soit. Votre cœur a des yeux que le cerveau ignore. Vous êtes plus qu'une simple bouteille vide qu'il faut remplir. Vous êtes une chandelle qu'il faut allumer. Enflammez donc le feu de votre imagination.

Vous portez en vous une idée créative qui attend d'être libérée

Vérité n° 9

Le destin est le produit
de nos décisions

Il est dit dans la Bible que «l'homme à l'âme partagée est inconstant dans toutes ses voies!» (Jacques 1, 8). Je connais des gens qui personnifient le manque de résolution. Je ne les comprends pas. Ce n'est pas que les gens sont différents, mais bien qu'ils sont indifférents. Nous sommes entourés d'un nombre croissant de gens qui agissent de façon déraisonnable. Trop de gens ratent leur vie sans même s'en rendre compte.

Dieu veut que nous sachions faire preuve d'une détermination à toute épreuve. Sinon, pourquoi nous aurait-il fait connaître Sa parole et envoyer le Saint Esprit? Pour nous permettre de décider du cours de notre vie! Comment le Seigneur peut-Il guider un être qui n'a pas décidé quelle direction suivre? Nous sommes tous responsables des bonnes actions que nous n'avons pas accomplies. «L'homme moyen ne sait pas quoi faire de sa vie et pourtant il désire l'immortalité», disait Anatole France.

Les gens les plus malheureux sont ceux qui ne savent jamais prendre de décision. Une personne indécise ne s'appartient pas. Elle n'a pas à s'inquiéter de devoir prendre une décision. Les autres le feront à sa place. Il est impossible d'évoluer tout en laissant les autres décider à notre place. Les gens indécis sont comme des aveugles qui cherchent un chat noir qui n'existe pas dans une pièce sans lumière.

Seul le diable peut se montrer neutre. Jésus a déclaré dans l'Évangile selon saint Matthieu (12, 30): «Qui n'est pas avec moi est contre moi, et qui n'amasse pas avec moi dissipe.» Le fait de ne pas prendre de décision est une décision en soi. Pas besoin de prendre de décision pour aller en enfer. «Méfiez-vous de celui qui trouve tout bon, de celui qui trouve tout mauvais, et surtout de celui qui est indifférent à tout», déclarait Larry Bielat.

Sachez affronter tous les problèmes et toutes les occasions de la vie de manière décisive. Nombreux sont ceux qui gaspillent un talent précieux par manque de décision. «La décision est un couteau aiguisé qui coupe droit et net; l'indécision est un couteau émoussé qui lacère, déchire et laisse des bords déchiquetés sur son passage», a dit Gordon Graham.

Avant que la foi ne donne des résultats, il faut tout d'abord apprendre à décider. Chaque réalisation, petite ou grande, commence par une décision. On ne peut pas changer tous les problèmes que l'on affronte, mais si on ne les combat pas, on ne peut rien changer.

Si vous êtes indécis, vous ne pourrez jamais établir de base solide et vous ne saurez pas quelle direction suivre. Il est dit dans la Bible: «Si vous n'avez pas la foi, alors vous ne pourrez être établis.» (Isaïe 7, 9) «Et si la trompette n'émet que des sons confus, qui se préparera au combat?» (I Corinthiens 14, 8)

Restez indécis et vous n'évoluerez jamais. Pour progresser, il vous faut tout d'abord décider de votre destination. La prise de décision détermine la destinée.

Pensez à une décision que vous devez prendre!

Commencez à travailler avec ce que vous avez au lieu de penser à ce que vous n'avez pas

Dieu vous a déjà donné ce qu'il vous faut pour commencer à bâtir votre avenir. Et pourtant, bien des gens disent: «Si seulement j'avais telle chose... si seulement ceci était différent... si seulement j'avais plus d'argent, je pourrais alors faire ce que Dieu a prévu pour moi.» Ces personnes ignorent les graines que Dieu a plantées en nous. Les gens accordent toujours beaucoup trop d'importance aux choses qu'ils n'ont pas. Dieu ne vous demandera jamais de Lui donner ce que vous n'avez pas. Il veut que vous commenciez par ce dont Il vous a doté.

Ne laissez pas les objectifs irréalisables vous empêcher de faire ce qui *est* réalisable. L'oisiveté prolongée paralyse tout esprit d'initiative. Tout semble impossible à l'esprit qui vacille, car c'est ainsi qu'il perçoit les choses. N'attendez pas que des circonstances extraordinaires se présentent pour vous lancer sur la bonne voie; agissez dès maintenant dans des circonstances ordinaires. Nous n'avons pas besoin de plus de forces, de capacités, ou d'occasions plus propices. Il nous incombe d'utiliser ce dont nous disposons déjà.

«L'attrait des horizons lointains et des projets grandioses n'est qu'un mirage. L'occasion en or se trouve là où vous êtes», a déclaré John Burroughs. Votre seule façon d'exercer une influence sur votre avenir, c'est d'agir maintenant. La véritable grandeur de l'être humain se trouve dans de petites choses. Ne vous plaignez pas de ne pas avoir ce que vous désirez; remerciez plutôt le Ciel d'être si indulgent à votre égard. Le refrain sempiternel que l'on entend partout est: «Il faut faire quelque chose.» Le commentaire sans réplique possible de Walter Dwight est: «À vous de commencer.»

Nul bonheur n'est possible si nous n'apprenons pas à utiliser nos ressources et si nous ne cessons pas de nous inquiéter de ce que nous ne possédons pas. Ceux qui ne savent pas apprécier ce qu'ils ont, ne découvriront jamais le bonheur. La plupart des gens commettent l'erreur de penser que l'objet de leurs désirs est très lointain, alors qu'il se trouve beaucoup plus près qu'ils ne le pensent.

Vous n'accomplirez jamais grand-chose si vous attendez d'être fin prêt. Lancez-vous! Le succès ne se matérialise jamais dans des circonstances «idéales». La Bible dit: «Qui observe le vent, ne sème point, qui regarde les nuages ne moissonne pas.» (L'Ecclésiaste 11, 4)

Ne perdez pas votre temps à cultiver le doute et la crainte. Ne vous appesantissez pas sur ce que vous n'avez pas. Concentrez-vous pleinement sur les tâches qui vous incombent aujourd'hui et sachez que c'est la meilleure façon de préparer l'avenir. «Fleurissez là où l'on vous a planté. Commencez à tisser et Dieu vous fournira le fil.» (Proverbe allemand).

Agissez dès maintenant grâce aux ressources dont vous disposez

Le diable est enchanté quand vous remettez vos tâches au lendemain

Le moment le plus important de votre vie, c'est le présent. L'hésitation et l'habitude de remettre constamment les choses au lendemain vous empêchent de réaliser votre destin. C'est la crainte qui vous pousse à cette procrastination. Rien ne plaît d'ailleurs davantage au diable que de vous voir dans cet état d'indécision.

Chérissez chaque minute; c'est votre bien le plus précieux. Les idées ont tendance à s'évanouir rapidement – c'est pour cela qu'il faut agir sans tarder. Le fait de remettre les choses à plus tard vous fait stagner. «Même si vous êtes sur la bonne voie, vous serez écrasé si vous restez immobile», a dit Arthur Godfrey. Les choses les plus simples deviennent compliquées lorsqu'on les remet à plus tard, et les choses difficiles deviennent impossibles.

L'obéissance, c'est la voie divine: «Si vous vous décidez à obéir, vous mangerez des produits du terroir.» (Isaïe 1, 19)

Dieu bénit ceux qui savent lui obéir. Remettre l'obéissance à plus tard est une forme de désobéissance. Obéir veut dire agir à l'instant. La décision de remettre les choses au lendemain suscite toujours le découragement.

Le moment d'agir est venu: c'est aujourd'hui. Il ne faut jamais s'arrêter. Bien souvent, il ne sert à rien d'essayer de comprendre: il suffit d'obéir. La façon la plus rapide de se sortir d'une mauvaise passe c'est d'obéir à Dieu. Dieu vous envoie des idées chaque jour pour une raison bien précise. «Pierre répondit alors, avec les apôtres: «Il faut obéir à Dieu plutôt qu'aux hommes.»» (Les Actes des apôtres 5, 29). Choisir d'obéir aux hommes nous empêche d'obéir immédiatement à Dieu. Obéissez à l'instant, agissez sans plus tarder. La plupart des hommes ont besoin d'un réveille-matin qui sonne pour qu'ils sachent que l'heure est venue de se montrer à la hauteur du défi.

Pourquoi ne pas sauter sur les occasions avec la même disposition que nous mettons à sauter aux conclusions? L'habitude de toujours remettre les choses à plus tard nous empêche de saisir les occasions. Quiconque se vante de ce qu'il fera demain a probablement fait la même chose hier. Il n'y a rien d'aussi dangereux que de ne rien avoir à faire et d'avoir tout le temps d'errer sans but. Tuer le temps n'est pas un meurtre, c'est un suicide. Deux choses font obstacle à la paix de l'esprit: les tâches inachevées et les tâches remises à plus tard.

À force de se perdre en conjectures et en délibérations inutiles, on finit par manquer sa chance. «Les bonnes résolutions sont comme des bébés qui pleurent à l'église; il faut s'en occuper immédiatement», a dit Charles M. Sheldon. Affrontez immédiatement les difficultés qui se présentent, sans quoi elles prendront une ampleur croissante. Plus on se montre paresseux aujourd'hui, plus les responsabilités du lendemain seront lourdes. La tragédie de l'existence n'est pas qu'elle finisse si tôt, mais que l'on attende si longtemps pour commencer à vivre.

Ne tuez pas le temps mais plutôt votre habitude de remettre les choses au lendemain

---

Tous les êtres humains sont importants

Vous n'êtes pas insignifiant. Ne percevez jamais votre vie comme si Jésus vous avait abandonné. Tirez le meilleur parti de votre potentiel, car c'est dans ce but que le Seigneur vous a créé. La pire des offenses, c'est de se trahir soi-même. Si vous décidez sciemment de fonctionner en deçà de vos capacités, vous en serez malheureux pour le restant de vos jours.

Bien des gens ne suivent jamais la voie que Dieu leur a tracée parce qu'ils attendent de pouvoir chanter comme Pavarotti, de prêcher comme Billy Graham et d'écrire comme Molière avant de commencer. Dieu savait parfaitement ce qu'Il faisait lorsqu'Il vous a créé. Exploitez vos talents. Les forêts seraient bien silencieuses si les seuls oiseaux qui chantaient étaient ceux qui chantent le mieux.

Le Seigneur vous a créé pour que vous réalisiez votre potentiel. Il a planté en vous les graines qui vous permettront d'exceller. Qu'est-ce que l'excellence? Qu'est-ce que le succès? C'est obéir à la volonté de Dieu et se trouver là où Il vous a placé.

Les chrétiens sont des créations uniques et non pas des pécheurs repentis. N'oubliez jamais que Dieu vous appelle Son ami (voir Jean 15, 15). Quelle incroyable déclaration! Il est bien dit dans la Bible que vous êtes fait «d'une manière merveilleuse». (Psaumes 139, 14)

Vous commencez à entrevoir que Dieu vous a créé dans un but bien précis. Il a une mission pour vous dont personne ne peut s'acquitter aussi bien que vous. Vous êtes le seul et unique, de tous les milliards de candidats, à posséder les compétences et les qualités nécessaires pour mener à bien cette tâche. Dieu a donné à chacun la foi suffisante pour s'acquitter de la mission pour laquelle Il l'a mis sur terre. Chacun possède un talent unique.

On ne réalise pleinement son potentiel que le jour où l'on fait ce que l'on devrait faire. Dieu ne nous tient pas seulement responsable de ce que nous avons, mais aussi de ce que nous pourrions avoir; non seulement de ce que nous sommes, mais aussi de ce que nous pourrions devenir. L'être humain est responsable devant Dieu d'exploiter pleinement le potentiel dont le Seigneur l'a doté.

Votre vie est importante. Même si nous sommes tous différents, aucune combinaison n'est insignifiante. Le jour du Jugement dernier, Dieu ne me demandera pas pourquoi je n'étais pas un prophète ou Billy Graham ou Pat Robertson, mais bien pourquoi je n'ai pas su être pleinement John Mason. Jerry Van Dyke a exprimé cette vérité en disant: «Le plus beau rosier n'est pas celui qui a le moins d'épines, mais bien celui qui porte les plus belles roses.»

Personne ne peut s'acquitter mieux que vous de la mission que Dieu vous a confiée

---

Ne créez pas vos propres obstacles

Que pense Dieu de votre avenir? Nous trouvons la réponse dans la Bible: «Car je sais, moi, le dessein que je forme pour vous, – oracle de Yahvé, – dessein de paix et non de malheur, qui vous réserve un avenir plein d'espérance.» (Jérémie 29, 11) Tout ce que nous sommes, bon et mauvais, est le produit de nos pensées et de nos croyances. Vous êtes devenu la personne que vous êtes aujourd'hui en raison du prix que vous avez payé pour obtenir ce que vous désiriez.

Toutes les batailles importantes que nous affrontons face se déroulent en nous-mêmes. Seuls ceux qui ont osé croire que Dieu était supérieur à toutes les circonstances, ont pu accomplir de grandes choses.

Il est dit dans la Bible: «Vous, petits enfants, vous êtes de Dieu et vous les avez vaincus. Car Celui qui est en vous est plus grand que celui qui est dans le monde.» (I Jean 4, 4)

Ne coulez pas votre propre bateau; vous aurez déjà assez de mal à vaincre les tempêtes. N'inventez pas mille et une raisons pour lesquelles vous ne pouvez pas accomplir ce que vous souhaitez; trouvez une seule raison pour laquelle vous en êtes capable. Il est plus facile de faire toutes les choses qu'il vous incombe de faire que de passer le reste de votre vie à regretter de ne pas l'avoir fait. La victoire principale que vous devez remporter est sur vous-même. «Il est impossible d'agir constamment d'une façon qui ne concorde pas avec la perception que vous avez de vous-même», a déclaré le spécialiste de la motivation, Zig Ziglar.

À l'instar du microscope, le fait de créer vos propres obstacles magnifie les choses banales mais ne vous permet pas de capter les grandes choses. Voici quelques méthodes simples qui vous empêcheront de créer vos propres obstacles: priez plus longuement, sachez discerner la vérité du mensonge, évitez les influences négatives et souvenez-vous de la parole de Dieu. Les plus graves mensonges sont ceux que nous nous contons à nous-même. Il est possible que la foi et la peur frappent à votre porte, mais ne laissez entrer que la foi.

Effacez tous les reproches que vous vous êtes fait par le passé

Vous ne pouvez marcher à reculons vers l'avenir

Il est plus important de regarder dans quelle direction vous allez que de penser constamment aux chemins que vous avez empruntés par le passé. Il ne faut pas concevoir l'avenir dans la perspective du passé. C'est trop facile de tout quantifier, de qualifier, et de tuer ainsi le rêve que nous portons en nous.

Selon Edmund Burke: «Le passé devrait être un tremplin, non pas un hamac.» Le passé ne nous permet nullement de planifier l'avenir. Personne ne peut bâtir son avenir en gardant le regard fixé sur le passé. Ceux qui accordent trop d'importance à des événements qui ont eu lieu hier ne peuvent pas accomplir grand-chose aujourd'hui.

Votre avenir contient plus de bonheur que tous vos souvenirs passés. Le chrétien régénéré n'a pas de passé. Il est dit dans la Bible: «Si donc quelqu'un est dans le Christ, c'est une création nouvelle; l'être ancien a disparu, un être nouveau est là.» (II Corinthiens 5, 17). Dieu n'examine pas votre passé pour décider de votre avenir.

«Le malheur est un fantôme du passé qui essaie de s'entendre avec le Dieu de l'avenir», a déclaré Mike Murdock. Ne transformez pas vos anciennes erreurs en monuments. Il faut les incinérer, et non pas les embaumer. Il est important de se concentrer sur l'avenir – c'est là que se trouvent votre vocation et votre destin. L'apôtre Paul a dit: «Non, frères, je ne me flatte point d'avoir déjà saisi; je dis seulement ceci: oubliant le chemin parcouru, je vais droit de l'avant, tendu de tout mon être et je cours vers le but, en vue du prix que Dieu nous appelle à recevoir là-haut, dans le Christ Jésus.» (Philippiens 3, 13-14)

Ceux qui ressassent constamment le passé font marche arrière. Ceux qui parlent du présent font du surplace. Ceux qui pensent à l'avenir, progressent.

Certaines personnes restent tellement ancrées dans le passé que l'avenir disparaît avant qu'elles ne puissent s'y rendre. Le futur ne fait peur qu'à ceux qui préfèrent vivre dans le passé. Personne n'a jamais connu la prospérité en marchant à reculons. Il est impossible d'améliorer l'avenir si l'on consacre son énergie à penser aux événements d'hier. Hier est révolu pour toujours et nous n'avons aucune emprise sur les événements passés. Le chemin parcouru est insignifiant par rapport à ce qui nous attend.

Le passé est révolu

Qui ne risque rien n'a rien

Montrez-vous hardi et courageux. Lorsque vous vous pencherez sur votre vie, vous regretterez de ne pas avoir accompli les choses qui vous tenaient à cœur. Lorsque vous affrontez une tâche difficile, programmez-vous de façon à penser qu'il est impossible d'échouer. Si vous comptez gravir le mont Everest, emmenez avec vous le drapeau de votre pays pour le planter au sommet. Ayez confiance en ce que vous réserve l'avenir. N'entreprenez que des choses importantes et qui ont l'air presque irréalisables. Ne visez pas à l'aveuglette.

Les gens médiocres sont convaincus qu'ils ne le sont pas. «Se contenter d'une performance moyenne contribue à faire baisser la moyenne», a dit William M. Winans. «Entreprenez des choses difficiles; cela vous fera du bien. Allez au-delà des choses que vous maîtrisez déjà, sans quoi, il vous sera impossible d'évoluer», a déclaré Ronald E. Osborn. Il est difficile de savoir ce qui est réellement impossible, car ce que nous tenons pour acquis aujourd'hui semblait impossible hier. «Impossible n'est pas français», a dit Napoléon.

Ceux qui ont peur d'entreprendre de grands projets se cantonnent dans la médiocrité. Pour réaliser tout ce qui est possible, il faut tenter l'impossible. Apprenez à vous sentir à l'aise lorsque vous imaginez des projets grandioses.

Il est faux de penser que les meilleurs emplois sont déjà pris et que l'histoire est un éternel recommencement. Il reste de grandes choses à réaliser. Les chrétiens ne doivent pas chercher refuge dans l'ombre, mais s'élancer vers la lumière de la Croix. Celui qui n'attend rien ne sera jamais déçu. Il est dit dans la Bible: «Y a-t-il rien de trop merveilleux pour Yahvé?» (Genèse 18, 14)

Nous consentons à prendre des risques selon l'intensité de notre foi. Dieu n'impose aucune limite quant à la force de la foi; la foi n'impose aucune limite à Dieu. Il est dit dans la Bible: «Or sans la foi il est impossible de lui plaire. Car celui qui s'approche de Dieu doit croire qu'il existe et qu'il se fait le rémunérateur de ceux qui le cherchent». (Hébreux 11, 6) Votre vision doit dépasser vos circonstances. Il est dit: «Au rocher trop haut pour moi, conduis-moi!» (Psaumes 61, 4)

«N'évitez pas les extrêmes pour conserver «votre équilibre»; gardez votre équilibre en sachant suivre jusqu'au bout la voie que Dieu vous a tracée en ce moment de votre vie», a dit Tim Redmond. Seul celui qui entreprend des projets dont l'envergure le dépasse, peut donner sa pleine mesure. «Frères, ayez sincèrement la foi. Une foi tiède vous permettra tout de même d'atteindre le Paradis, mais une foi puissante laissera votre âme connaître dès à présent la béatitude», a déclaré Charles Spurgeon.

Les gens les plus déçus du monde sont ceux qui se contentent de ce qu'ils trouvent sur leur chemin, sans plus. Il y a de nombreuses façons d'échouer, mais le refus de prendre des risques est à coup sûr la meilleure. Dans certains cas, il faut tout d'abord avoir la foi avant de voir. Entreprenez quelque chose de tellement fantastique que, sans la présence de Dieu, votre projet sera voué à l'échec.

Votre vision est votre valeur potentielle

Soyez comme les bébés... ils aiment le changement!

L'astronaute feu James Irwin disait: «Vous pensez peut-être que la planification du premier voyage sur la lune reposait sur de rigoureux critères scientifiques, mais en fait, ils nous ont littéralement «propulsés» en direction de la lune. Nous devions rectifier le cap chaque 10 minutes et, en fin de compte, nous avons aluni à peine à 17 mètres à l'intérieur du rayon de 850 kilomètres de notre cible.» Tout comme ce voyage sur la lune, la vie est pleine de changements. Rien n'est aussi permanent que le changement.

«Si vous ne pouvez pas changer la direction du vent, ajustez les voiles de votre bateau.» (Max DePree). Nous ne pourrons jamais devenir qui nous devrions être en restant qui nous sommes. Ceux qui cessent de changer, cessent d'évoluer. Les gens ont horreur du changement et pourtant c'est la seule façon de progresser.

Chacun veut changer le monde, mais personne ne songe à commencer par changer son propre comportement. «Misère et honte à qui abandonne la discipline, honneur à qui observe la réprimande.» (Les Proverbes 13, 18) Seul celui qui souhaite constamment se dépasser, peut bâtir son avenir. «Oui, heureux l'homme que Dieu corrige! Aussi, sois docile à la leçon du Tout-Puissant.» (Job 5:17) Mieux vaut élaguer un arbre pour lui permettre de pousser que de le couper pour le brûler», a déclaré John Trapp. Une mauvaise habitude ne disparaît jamais seule. «C'est toujours le fruit d'un effort personnel.» (Abigail Van Buren)

Il est dit dans la Bible: «Désir satisfait, douceur pour l'âme. Abomination pour les insensés: se détourner du mal.» (Les Proverbes 13, 19) Les gens sages savent parfois changer d'avis – les sots pensent toujours avoir raison. Montrez-vous réceptif aux changements que Dieu apporte à vos plans. C'est un signe de force de caractère que de savoir effectuer des changements lorsque cela s'avère nécessaire.

Plus quelqu'un est dans l'erreur, plus il est certain d'avoir raison. Défendre vos fautes et vos erreurs prouve bien que vous n'avez aucune intention de modifier votre comportement. Les gens têtus ne contrôlent pas leurs opinions; ce sont elles qui les contrôlent.

S'il nous est impossible d'inventer, nous pouvons du moins améliorer les choses. «Une nouvelle idée sensationnelle n'est parfois qu'une ancienne idée perçue sous un nouveau jour. Si vous êtes à court d'idées, cherchez sans relâche. Tout le monde est en faveur du progrès, mais personne n'aime le changement. Le changement est une composante éternelle de la vie. La plupart des gens acceptent de changer, non pas parce que la lumière se fait soudain, mais parce que leur situation devient par trop inconfortable.

Les meilleures idées exigent que l'on soit prêt à changer, à s'adapter et à modifier certaines choses, si l'on veut prospérer et réussir. Henry Ford a oublié d'installer une marche arrière dans ses premières voitures. Peu de gens ont remarqué cette omission. Son succès est connu de tous. Il est peu probable que vos projets seront couronnés de succès si vous continuez à agir comme par le passé.

Le changement est une chose positive

« *Si vous continuez à agir comme il se doit, les problèmes et les gens qui ont tort finiront par sortir de votre vie.* » *(David Blunt)*

Un homme d'affaires s'était fait imprimer du papier à en-tête où l'on pouvait lire: «Ce qui est juste reste juste même si tout le monde s'y oppose. Ce qui est faux reste faux même si tous sont en faveur.» Il est dit dans la Bible: «Que nul, s'il est éprouvé, ne dise: «C'est Dieu qui m'éprouve.» Dieu en effet n'éprouve pas le mal, il n'éprouve non plus personne.» (Jacques 1, 13)

On n'emprunte jamais trop tôt la bonne voie, car on ne sait jamais quand il sera trop tard. Vous pouvez toujours trouver le temps de faire ce que vous désirez vraiment.

Ceux qui ont réussi comprennent qu'il est impossible de parvenir en haut de l'échelle d'un seul bond. Ce qui les distingue des autres c'est leur volonté de continuer à progresser un pas à la fois, quels que soient les obstacles qui se trouvent sur leur chemin. Nous sommes le produit de nos habitudes.

Réfléchissez aux paroles de John Wesley:

«Faites tout le bien possible,
De toutes les façons possibles,
Partout où vous le pouvez,

Chaque fois que vous le pouvez,
Et aussi longtemps que vous le pourrez.»

Dans la vie, on récolte toujours ce que l'on sème. L'ampleur du potentiel d'un être humain est proportionnelle à sa volonté d'accepter ce qui est juste. Ceux qui adhèrent à des principes justes ne se fourvoient jamais. Tout acte de désobéissance ne fait que rallonger le chemin qui mène vers votre rêve. De même, la réalisation de vos rêves découle de prières ferventes et de l'acte juste.

Faites ce qui est juste, ensuite, faites ce qui est juste, et enfin, faites ce qui est juste

---

L'échec est le lot de ceux qui ne savent pas persévérer

Ne déviez jamais du droit chemin. Celui qui porte des rêves grandioses en son cœur est plus puissant que celui qui connaît tous les faits. Rappelez-vous que le succès instantané prend environ 10 ans. Les «célébrités du jour» ont travaillé de longues journées et de longues nuits avant de voir leurs efforts couronnés de succès. Pensez aux paroles de celui qui déclare: «Mon succès instantané a été très au ralenti.»

Earl Nightingale raconte: «Un jeune homme demanda un jour à un vieil homme célèbre: «Comment puis-je me faire un nom et réussir?» L'homme illustre lui répondit: «Il suffit de décider ce que vous voulez accomplir et de ne jamais lâcher prise, sans jamais dévier de votre route, jusqu'à ce que vous parveniez au but.»» Les gagnants font simplement ce que les perdants refusent de faire. Le succès consiste à s'accrocher bien après que les autres aient lâché prise.

Dans le combat qui oppose la rivière au rocher, la rivière est toujours victorieuse – non pas en raison de sa force, mais bien de sa persévérance. Christopher Morley a déclaré: «Les grands gagnants sont des gens ordinaires qui n'ont jamais perdu de vue leur objectif.» La constance veut dire profiter du voyage qui nous sépare du moment où les promesses de Dieu se matérialiseront.

Judas personnifie l'exemple de celui qui est parti sur la bonne voie, mais qui manque d'endurance. Souvent, les gens qui ont subi les échecs les plus retentissants n'ont pas réalisé à quel point ils étaient près du but. S'arrêter en chemin est aussi nocif que de ne jamais commencer. On définit le succès en fonction de ce que l'on finit et non pas en fonction de ce que l'on commence. Les gens n'échouent pas: ils lâchent prise trop vite.

Dieu ne vous abandonnera pas! N'abandonnez pas Dieu! «Oui, j'en ai l'assurance, ni mort ni vie, ni anges, ni principautés, ni présent ni avenir, ni puissances, ni hauteur ni profondeur, ni aucune autre créature ne pourra nous séparer de l'amour de Dieu manifesté dans le Christ Jésus notre Seigneur.» (Romains 8, 38-39)

Votre persévérance prouve bien que vous n'avez pas été vaincu. Mike Murdock dit: «Vous n'avez droit qu'à ce pour quoi vous avez lutté. Car la preuve du désir se trouve dans la quête du bonheur.» Aussi: «Recommande à Yahvé tes œuvres, tes projets se réaliseront.» (Proverbes 16, 3) La plus grande richesse que vous puissiez posséder dans la vie, c'est votre détermination inébranlable. Personne ne peut vous la voler. Vous seul pouvez la perdre sciemment.

Le destin de ceux qui savent faire preuve d'assiduité dans leur travail, c'est d'être en compagnie de leaders. «Vois-tu un homme preste à la besogne? au service des rois il entrera. Au service des gens obscurs il ne restera pas.» (Les Proverbes 22, 29) C'est dans les moments où il est le plus difficile de faire preuve de fidélité qu'il faut persévérer à tout prix; c'est surtout dans les moments pénibles qu'il faut s'accrocher. Le secret du succès, c'est de commencer à zéro et de ne jamais dévier de sa route.

Libérez-vous de toutes les entraves qui vous empêchent d'agir

La concentration fait toute la différence

Il est dit dans la première épître aux Corinthiens (9, 25): «Tout athlète se prive de tout; mais eux, c'est pour obtenir une couronne périssable, nous, une impérissable.» Qui trop embrasse mal étreint. La meilleure façon de centrer votre vie est de ne jamais mettre en doute les plans que Dieu a dressés pour vous.

Une seule personne qui sait se concentrer constitue une majorité. Celui qui entreprend trop de projets, n'accomplit pas grand-chose. Si vous attendez l'occasion de réussir tous vos projets d'un coup, vous ne ferez jamais rien. Ceux dont l'attention est dispersée, n'arrivent à rien.

La vie est difficile et chaotique pour ceux qui ne savent pas se concentrer sur leurs buts. «Mieux vaut une poignée de repos que deux poignées de fatigue.» (L'Ecclésiaste 4, 6) Lorsque vous n'avez pas de raison valable pour faire quelque chose, vous avez là une bonne raison d'abandonner la partie. Lorsqu'on se concentre exclusivement sur son but, on peut abattre une incroyable quantité de travail.

«Tout esprit humain renferme une grande puissance latente jusqu'au jour où celle-ci est éveillée par un vif désir précis et par la résolution immuable d'agir», a dit Edgar F. Roberts. La concentration est l'un des principaux ingrédients qui forme le caractère et l'un des ins-

truments les plus précieux pour réussir. Sans concentration, la créativité se dilue dans un labyrinthe d'incohé-
rences.

Peu de choses sont impossibles à réaliser pour ceux
qui savent faire preuve de diligence et de concentration.
Tout objectif sur lequel vous concentrez votre attention
a d'excellentes chances de se réaliser en raison de la
force et de l'élan que vous donne cette concentration. La
concentration est le secret de la force.

Jésus a dit: «Pareillement donc, quiconque parmi
vous ne renonce pas à tous ses biens ne peut être mon
disciple.» (Luc 14, 33) Être un disciple du Christ exige de
la concentration. Lorsque vous poursuivrez votre chemin en gardant l'esprit concentré sur votre but, vous
éprouverez de la passion face à votre rêve; vous en percevrez partout l'expression – il sera si proche de vous
que vous pourrez presque le toucher.

Le droit chemin que suit l'esprit qui se concentre
est celui où il se produit le moins d'accidents. Il est important que les autres connaissent votre position; il est
tout aussi important qu'ils connaissent vos limites.
Nous ne pouvons pas faire tout ce que nous voulons,
mais nous pouvons faire tout ce que Dieu désire.

La concentration est un outil puissant

Deuxième partie :

La concentration est un outil puissant

Enrichissez un tant soit peu la vie de tous ceux qui croisent votre chemin

Il est dit dans la Bible: «Il est des prodigues dont la richesse s'accroît; d'autres amassent sans mesure, et c'est pour s'appauvrir. L'âme bienfaisante prospérera, et qui arrose sera arrosé.» (Proverbes 11, 24-25) En effet, l'homme généreux deviendra riche! En arrosant autrui, il s'arrose lui-même. Vous avez été créé pour aider les autres.

Ceux qui savent véritablement aider les autres sont toujours en mesure de voir le côté positif des problèmes d'autrui. Le fait d'observer la règle d'or n'est pas un sacrifice, c'est un investissement. Ne donnez pas exagérément, sachez donner dans la mesure de vos moyens et vous n'en éprouverez que de la satisfaction.

«Ce que nous accomplissons uniquement pour nous-même meurt en même temps que nous; ce que nous faisons pour les autres ne connaît pas les frontières du temps. Ce que j'ai donné, je le possède encore; ce que j'ai dépensé, je le possédais; ce que j'ai gardé, je l'ai perdu.» (Ancienne épitaphe) Nul ne se trompe davantage que les égoïstes. «Personne n'a jamais été honoré pour ce qu'il a reçu, mais bien pour ce qu'il a donné», a déclaré Calvin Coolidge. Contribuez au succès des autres. En aidant quelqu'un à gravir une montagne, vous vous retrouverez, vous aussi, plus près du sommet.

Si vous souhaitez que les autres s'améliorent, faites-leur part de toutes les bonnes choses que vous pensez à leur sujet. Les gens vous traiteront en fonction de la façon dont vous les percevez. Apprenez à découvrir les aspects positifs de chaque personne. La plupart des gens éprouveront de la joie pendant deux mois, en se remémorant quelques louanges et une tape amicale sur l'épaule. Sachez éveiller en eux leurs talents et leur vocation.

Dieu saura vous récompenser de tout le bien que vous ferez aux autres. «Dans l'assurance que chacun sera payé par le Seigneur selon ce qu'il aura fait de bien, qu'il soit esclave ou qu'il soit libre.» (Éphésiens 6, 8) Votre évolution spirituelle est proportionnelle à ce que vous donnez aux autres. En donnant, vous créez un espace intérieur qui vous permet de croître.

«Donne au sage: il deviendra plus sage encore; instruis le juste: il accroîtra son savoir.» (Proverbes 9, 9) Vous serez peut-être la seule Bible qu'il sera donné de lire à certains. N'oubliez pas les paroles de D. L. Moody: «Rares sont ceux qui lisent la Bible; nombreux sont ceux qui nous écoutent, vous et moi.».

L'essentiel dans la vie, c'est ce que vous avez fait pour les autres. Le devoir de tout chrétien est d'encourager les autres à faire le bien et de les dissuader de faire le mal. «Ceux qui savent faire profiter les autres du soleil, ont eux-mêmes le visage baigné de soleil», a dit James Matthew Barrie.

Si vous traitez quelqu'un en fonction de ce qu'il est, il restera tel qu'il est. Si vous le traitez en fonction de ce qu'il pourrait être, il deviendra ce qu'il pourrait être. Il n'y a pas de meilleur exercice pour le cœur que de se pencher et de tendre une main secourable à quelqu'un.

Trouvez quelqu'un qui pourrait profiter de votre aide et tendez-lui la main

---

Ne passez pas votre vie au service des réclamations

Ceux qui se concentrent toujours sur l'aspect négatif des choses ne perçoivent rien d'autre. Vivez votre vie comme une exclamation et non pas comme une explication. Les grincheux vous diront que le succès n'est qu'une question de chance. Les enfants sont optimistes dès leur naissance, mais le monde tente de «leur ouvrir les yeux.» Il reste que plus vous vous plaindrez, moins vous obtiendrez. Passer sa vie à se plaindre, c'est se condamner à stagner. La seule différence entre une impasse et un cercueil, c'est le temps. L'habitude de se plaindre commence par se manifester de temps à autre, puis elle s'installe et, finalement, elle s'incruste.

Certains ne perçoivent que l'aspect négatif de toute situation. Connaissez-vous ce genre de personne? Combien de grincheux connaissez-vous qui réussissent? Les êtres limités, à l'esprit limité et à l'imagination limitée mènent des vies sans envergure, et refusent d'un air suffisant tout changement qui pourrait secouer leur petit monde.» (Anonyme). Les petites choses affectent les petits esprits. Certaines personnes sont convaincues qu'elles pourraient soulever des montagnes, si seulement quelqu'un voulait bien déblayer le chemin. Les personnes les plus déçues au monde sont celles qui reçoivent ce qu'elles méritent.

Il fait bon raconter ses malheurs. Les grincheux attirent d'autres grincheux, mais éloignent les gens positifs. Lorsque Dieu s'apprête à vous bénir, Il n'envoie pas des grognons dans votre vie. Il vous envoie au contraire des gens qui vous apportent un message de foi, de force et d'amour.

Lorsque vous êtes tenté de vous plaindre, faites place à Dieu. Il faut éteindre la lumière divine pour être dans l'obscurité. «(...) dont le caractère est ferme, qui conserve la paix, car elle se confie en toi.» (Isaïe 26, 3). Servez-vous Dieu ou Dieu vous sert-il? Dieu est-il votre espoir ou votre excuse? Ne transformez pas le Paradis en un service de réclamations.

«De toutes les tristes paroles que l'on puisse prononcer ou écrire, les plus tristes sont les suivantes: «Si seulement j'avais pu!»» (John Greenleaf Whittier) Ne vous plaignez pas. La roue qui grince le plus est celle que l'on remplace le plus souvent. Si vous vous plaignez des autres, il ne vous reste plus de temps pour les aimer.»

Les lamentations ne font qu'exprimer votre douleur, sans rien résoudre

---

Vérité n° 22

Si vous êtes vert d'envie, vous êtes mûr pour les problèmes

L'une des décisions les plus importantes que nous puissions prendre dans la vie, c'est de ne pas comparer nos circonstances à celles des autres. Les événements qui se produisent dans la vie des autres n'ont rien à voir avec la façon dont Dieu intervient dans la vôtre. Dieu vous aime tout autant que les autres. «Alors Pierre prit la parole et dit: «Je constate en vérité que Dieu ne fait pas acception des personnes, mais qu'en toute nation celui qui le craint et pratique la justice lui est agréable.» (Les Actes des apôtres 10, 34)

Certaines personnes semblent connaître la solution à tous les problèmes des autres, sauf aux leurs. L'envie est le désir brûlant que tous les autres réussissent un peu moins bien que vous. Ne mesurez pas votre succès en fonction de ce que les autres n'ont pas réussi à accomplir. «La charité est longanime; la charité est serviable; elle n'est pas envieuse; la charité ne fanfaronne pas, ne se rengorge pas.» (I Corinthiens 13, 4) La jalousie est la réaction des médiocres devant ceux qui ont brillamment réussi. Le fait de critiquer le jardin des autres n'empêchera pas les mauvaises herbes de pousser dans le vôtre.

L'envie se traduit par une énorme dépense d'énergie mentale. Ne cédez pas à l'envie – c'est très souvent la source du malheur. Le fait de vous comparer aux autres déforme votre perception. «Ne soyez pas une fraction, soyez un tout.» (Greg Mason)

Ne permettez pas à des forces extérieures de façonner votre destin. George Craig Stewart a dit: «L'homme faible est l'esclave des événements. L'homme fort est le maître des événements.» Ce n'est pas le soulier qui dit au pied quelle pointure il doit avoir. Une juste perspective vous pousse à agir selon votre vision et non pas en fonction des circonstances des autres.

L'homme est une créature déraisonnable qui tente de rendre la pareille à ses ennemis et de dépasser ses amis. L'amour permet de voir au travers d'un télescope; l'envie oblige à regarder au travers d'un microscope. Nous méprisons ce que nous ne possédons pas et nous en exagérons l'importance. Ne soyez jaloux de personne. Chacun possède un talent qui lui est propre. Cultivez ce talent et apprenez à exceller.

Dieu pénètre dans la vie de chaque être humain par une porte privée. Il guide chacun d'entre nous sur un chemin distinct. Personne ne peut bâtir son destin en fonction de la réussite des autres. Ce que recherche l'être étroit d'esprit se trouve chez les autres; ce que recherche l'être supérieur se trouve en Dieu.

La seule façon de voir, c'est de ne pas détacher son regard de Dieu

Il n'y a aucune limite quant à ce que vous pouvez réaliser

Personne ne peut vous fixer de limites sans votre permission.

«Lorsque Eli Whitney inventa la première égreneuse de coton, on se moqua de lui. Thomas Edison dut installer gratuitement l'électricité dans un immeuble commercial avant qu'on ne lui manifeste la moindre marque d'intérêt. La première machine à coudre fut réduite en miettes par une foule en colère, à Boston. On ridiculisa l'idée des chemins de fer. Les gens croyaient à l'époque que le fait de se déplacer à 50 kilomètres à l'heure arrêterait la circulation du sang. Samuel Morse dut plaider devant 10 sénateurs avant qu'on ne consente à jeter un coup d'œil sur son télégraphe.» Et pourtant, aucun de ces hommes ne s'avoua vaincu et leurs inventions eurent une importance considérable sur la civilisation.

Méfiez-vous des gens dédaigneux qui critiquent toute nouvelle idée. La terre cesserait de tourner si le sort de l'humanité dépendait des défaitistes qui disent: «C'est impossible.»

«Demandez et l'on vous donnera; cherchez et vous trouverez; frappez et l'on vous ouvrira.» (Matthieu 7,7). Nos réalisations sont proportionnelles à nos efforts. Il est plus facile de persuader les gens de ne croire en rien que d'avoir la foi. Jésus a dit: «Qu'il vous advienne selon votre foi.» (Matthieu 9, 29) Vous n'êtes jamais aussi loin de la réponse que vous le croyez. Il est toujours dangereux et faux de contempler l'avenir sans foi aucune.

Dites-moi ce que vous croyez au sujet de Jésus et je vous révélerai des faits importants à propos de votre avenir. Quelle est votre perception de Jésus? Était-ce tout simplement un homme bon qui avait de bonnes idées? Ou bien est-ce le Fils de Dieu, le défenseur des hommes devant Dieu, le Roi des Rois et le Seigneur des Seigneurs?

Nombreux sont ceux qui ne s'attendent plus au meilleur; ils espèrent éviter le pire. Beaucoup d'entre nous ont entendu la chance cogner à notre porte, mais il nous a fallu tellement de temps pour ôter la chaîne de sécurité, ouvrir le verrou, faire tourner deux serrures et débrancher le système d'alarme, que lorsque nous avons enfin ouvert, la chance avait disparu. Trop de gens passent leur vie à errer sans but ou à s'appesantir sur leur passé, alors que Dieu leur demande de regarder vers les cieux. Il n'y a aucune limite quant à ce que vous pouvez réaliser.

Laissez libre cours à votre créativité

Vérité nº 24

Affrontez les événements et vous serez un jour leur maître

Tous les obstacles ne sont pas nécessairement mauvais. De fait, les obstacles cachent souvent des occasions. Les conflits se produisent tout simplement quand vous affrontez un obstacle sur le chemin qui vous mènera à la bonne réponse. La bataille est louable; c'est la preuve que vous n'avez pas abandonné la partie. L'apôtre Paul a exprimé ainsi cette vérité: «Nous sommes pressés de toutes parts, mais non pas écrasés; ne sachant qu'espérer, mais non désespérés; persécutés, mais non abandonnés; terrassés, mais non annihilés.» (II Corinthiens 4, 8-9)

Le fait d'être chrétien ne vous exempte pas de remplir vos obligations et de résoudre les problèmes qui surgissent dans votre vie; cela vous donne au contraire les outils nécessaires pour vivre de façon productive et remporter des victoires. Personne n'est dégagé des problèmes. Même le lion doit chasser les mouches. La croissance personnelle et le succès n'éliminent pas les obstacles; ils en créent de nouveau. Mais Dieu nous prête toujours son aide et nous accompagne partout où nous allons. Thomas Carlyle a déclaré: «Le bloc de granit qui était un obstacle sur le chemin du faible devient un tremplin sur le chemin de l'homme fort.»

Même lorsque vous traversez des épreuves, Dieu souhaite que vous puissiez évoluer et progresser. Les

71

épreuves vous donnent l'occasion de mûrir, et non pas de mourir. L'obstacle peut vous détourner temporairement de votre but, mais vous êtes le seul qui puisse prendre la décision d'abandonner la partie. Le diable souhaite que vous considériez votre situation temporaire comme permanente. Les obstacles révèlent ce en quoi nous croyons sincèrement et de quoi nous sommes véritablement faits. Ils vous permettent de vous découvrir. Votre bataille est peut-être longue, mais elle n'est pas éternelle.

Au cours de mes voyages, j'ai toujours remarqué que, même si le ciel est très nuageux, lorsque l'avion décolle, le soleil brille toujours au-dessus des nuages. Gardez le regard tourné vers Dieu! Ce n'est pas votre perspective, mais votre attitude qui compte. Les obstacles font partie de la vie. Jésus a dit: «Je vous ai dit ces choses, pour qu'en moi vous ayez la paix. Dans le monde vous aurez à souffrir. Mais gardez courage! J'ai vaincu le monde.» (Jean 16, 33) Jésus n'a point déclaré: «Il n'y a pas d'orages.» Il a dit: «J'ai foi! Viens à mon secours là où j'ai besoin de foi!» Le feu fait la différence entre le fer et l'acier, mais une fois passé au feu, la solidité de l'acier est de loin supérieure. Dieu n'a jamais promis que le chemin serait facile. Mais il a dit: «Si tu peux!... reprit Jésus; tout est possible à celui qui croit.» (Marc 9, 24)

«Les problèmes donnent des ailes à certains, alors que d'autres doivent acheter des béquilles pour les affronter», a déclaré Harold W. Ruoff. Lorsque Dieu est près de vous, Il vous aide à affronter la musique, même lorsque vous n'aimez pas la mélodie. Ne percevez pas uniquement Dieu par le biais de vos circonstances, percevez plutôt vos circonstances comme venant de Dieu.

Votre problème est votre promotion

Vous avez été créé pour fournir la réponse

Le célèbre entraîneur de basket-ball, John Wooden, a dit: «On ne peut vivre de journée parfaite sans faire quelque chose pour quelqu'un qui ne pourra jamais s'acquitter de cette dette.» Je pense qu'un proverbe de la Bible nous amène la bénédiction du Seigneur. Il y est dit: «Ne refuse pas un bienfait à qui le sollicite quand il est en ton pouvoir de le faire.» (Les Proverbes 3, 27)

Notre joie s'intensifie lorsque nous la partageons avec les autres. Vous avez été créé pour être l'une des composantes de la solution. «Je ne suis qu'une personne, mais je suis tout de même une personne. Je ne peux pas tout faire, mais je peux tout de même faire quelque chose; je ne refuserai pas de faire les choses que je peux accomplir», a déclaré Hellen Keller.

Sachez apporter des solutions. Tendez la main si quelqu'un que vous connaissez se trouve en détresse. Rapprochez-vous de ceux que vous pouvez aider alors que les autres s'en éloignent. Il n'y a pas de travail insignifiant, tous les gens ont de la valeur, et tous les actes de bonté sont importants. Si vous n'éprouvez aucune bonté dans votre cœur, c'est un signe que votre cœur est très malade.

Votre contribution est déterminée par les réponses que vous donnez aux problèmes que vous affrontez. Selon Mike Murdock: «On ne se souviendra de vous que pour deux raisons: les problèmes que vous aurez résolus ou ceux que vous aurez créés.» «Il y a plus de bonheur à donner qu'à recevoir.» (Les Actes des Apôtres 20, 35)

Sachez donner de votre personne, et cessez de critiquer. Les critiques sont généralement les gens les plus oisifs. Mettez-vous à la place de votre voisin, de votre patron, de votre meilleur ami. Restez à l'affût des occasions de trouver des solutions.

Combien de gens égoïstes et heureux connaissez-vous? Vous pouvez vous faire plus d'amis en deux mois en aidant les autres qu'en deux ans en essayant de vous faire aider par les autres. «La Mer morte est morte car elle reçoit continuellement et ne donne jamais.» «Si vous vous montrez réceptif à Dieu, Dieu vous comblera de Ses bienfaits», a déclaré le pasteur E.V. Hill. Un simple geste de votre part peut changer le cours du destin de quelqu'un d'autre.

Trouvez des problèmes auxquels vous pouvez proposer des solutions

Les mots sont comme de la nitroglycérine: ils peuvent faire sauter des ponts ou guérir des cœurs

Simplement pour voir ce que vous éprouvez, ne faites aucun commentaire négatif à propos de quiconque ni de quoi que ce soit au cours des prochaines vingt-quatre heures. «La différence entre le mot juste et le mot presque juste est similaire à la différence entre l'éclair et le ver luisant», a déclaré Mark Twain. Il est dit dans la Bible: «Le vaurien produit le malheur, c'est comme un feu brûlant sur ses lèvres.» (Les Proverbes 16, 27). «Mort et vie sont au pouvoir de la langue! ceux qui la chérissent mangeront de son fruit.» (Les Proverbes 18, 21).

Ce que dit une personne au sujet des autres est plus révélateur que ce que les autres disent à son sujet. Jésus a déclaré: «Engeance de vipères, comment pourriez-vous tenir un bon langage, alors que vous êtes mauvais? Car c'est du trop-plein du cœur que la bouche parle.» (Matthieu 12, 34). Une personne authentique et unique dit: «Trouvons une solution»; la «copie» décrète: «Il n'y a pas de solution.» Une personne unique dit: «Il devrait toujours y avoir une meilleure façon de faire les choses»; la «copie» déclare: «C'est comme ça qu'on a toujours fait les choses.» Au lieu d'utiliser les mots: «Si seulement», essayez d'y substituer: «La prochaine fois.» Ne vous demandez pas: «Que se passera-t-il si cela ne fonctionne pas?» Posez-vous plutôt la question suivante: «Que se passera-t-il si cela fonctionne?»

L'ignorance a toujours hâte de s'exprimer. Le meilleur moment de tenir votre langue, c'est précisément quand vous sentez que vous devez dire quelque chose. Vous ne serez jamais blessé par quelque chose que vous n'avez pas dit. Le silence est l'ultime arme du pouvoir; c'est aussi l'un des arguments les plus difficiles à contester. Ne jugez jamais la puissance d'une personne à son débit. Certains parlent d'expérience; d'autres, précisément en raison de leur expérience, ne parlent pas.

Laissez-vous guider par la nature – vos oreilles ne sont pas faites pour être fermées, mais votre bouche l'est! Lorsqu'une dispute éclate, le sage la calme par le silence. Parfois, il faut garder le silence pour être entendu. C'est au moment où le poisson ouvre la bouche qu'il mord à l'hameçon.

Vos paroles reflètent votre destin. Jésus a dit: «Car c'est d'après tes paroles que tu seras justifié, et c'est d'après tes paroles que tu sera condamné.» (Matthieu 12, 37) Il est dit dans la Bible: «Va donc sur l'heure, je t'aiderai à parler et te suggérerai ce que tu devras dire.» (L'Exode 4, 12)

Pour connaître un homme, écoutez attentivement lorsqu'il parle des choses qui lui déplaisent. Parler sans discernement émousse les deux sens les plus importants que vous ayez: votre vue et votre ouïe. Plus d'une idée brillante a été étouffée par un choix erroné de mots.

«Un vieil hibou sage était perché sur un chêne; plus il voyait et moins il parlait; moins il parlait et plus il entendait; pourquoi ne sommes-nous pas comme ce vieil oiseau sage?»

– Edward H. Richards

Chaque fois que vous prononcez le mot «Dieu», vous prononcez le mot «miracle»

Celui qui ne sait pas pardonner a la vue courte

Ne pas savoir pardonner est la meilleure façon d'étouffer notre authenticité. Lorsqu'on vous a fait du tort, la meilleure façon d'agir est d'avoir mauvaise mémoire. Ne gardez jamais rancune, car tandis que vous croulez sous le poids du ressentiment, celui qui vous a offensé est occupé à mener ses affaires et à prospérer.

Pardonnez à vos ennemis – rien ne les agace davantage. Le pardon est la meilleure vengeance. Les seules personnes à qui vous devez rendre la pareille sont celles qui vous ont aidé.

«Le pardon devrait ressembler à une facture annulée – déchirée en deux et brûlée, de façon à ce qu'on ne puisse jamais la présenter.» (Henry Ward Beecher). C'est lorsque vous abandonnez vos plans de vengeance et que vous décidez d'oublier un affront que la présence de Dieu se fait le plus sentir dans votre vie. «Celui qui ne sait pas pardonner, détruit le pont qu'il aura peut-être un jour besoin de traverser», a déclaré Larry Bielat. «Ne coupez jamais ce que l'on peut dénouer». (Joseph Joubert) La haine, l'amertume et la vengeance sont des luxes qu'aucun d'entre nous ne peut se permettre.

C'est au moment où l'on mérite le moins que l'on a le plus besoin d'amour. Le pardon guérit; la rancune blesse. Il est dit dans la Bible: «Hâte-toi de t'accorder avec ton adversaire, tant que tu es encore avec lui sur le chemin, de peur que l'adversaire ne te livre au juge, et le juge au garde, et qu'on ne te jette en prison». (Matthieu 5, 25) La meilleure guérison est la guérison rapide.

Il est impossible de progresser lorsqu'on essaie de se venger. Lorsque vous êtes offensé, sachez qu'il s'agit là d'une ruse de Satan pour vous soustraire à la volonté de Dieu. Lorsque nous pensons aux affronts que nous avons subis, les problèmes se multiplient; lorsque nous pensons à Dieu, les problèmes s'évanouissent.

Un refus de pardonner a des répercussions considérables sur votre destin. La haine est une forme lente de suicide et signifie la mort de vos rêves. Les conséquences d'un refus de pardonner sont encore plus nocives que l'affront initial que vous avez subi!

Il est vrai que celui qui pardonne met fin à la querelle. Une petite tape amicale sur le dos est la meilleure façon d'effacer la rancune. Pardonnez à vos ennemis – c'est la seule façon de vous venger! Le pardon permet d'économiser les coûts de la colère, de la haine et d'éviter la dépense d'énergie qui s'ensuit. Les chrétiens se distinguent de deux façons: en donnant et en pardonnant.

Si vous voulez vous sentir malheureux, il suffit pour cela de détester quelqu'un. Le refus de pardonner cause beaucoup plus de dégâts au contenant dans lequel il est entreposé qu'à l'objet sur lequel il est déversé.

«La vie est une aventure axée sur le pardon», a déclaré l'écrivain Norman Cousins. «Chacun devrait avoir un cimetière spécial où il pourrait enterrer les erreurs des amis et des êtres chers. Pardonner veut dire relâcher un prisonnier et se rendre compte soudain que c'était vous le prisonnier.» (Anonyme).

Pardonnez à quelqu'un chaque jour

À quoi sert-il de viser si vous ne savez pas à quel moment appuyer sur la gâchette?

Dieu vous guide et vous indique à quel moment agir. Il veut que nous sachions quoi faire et quand le faire. Il est dit dans la Bible: «Je t'instruirai, je t'apprendrai la route à suivre; les yeux sur toi, je serai ton conseil.» (Les Psaumes 32, 8) N'anticipez pas la volonté du Seigneur et ne vivez pas non plus en ignorant sa volonté.

La patience fait des miracles, mais n'a pas été d'une grande utilité à celui qui a planté une orangeraie en Alaska. Ce n'est jamais le bon moment d'aller dans la mauvaise direction. Si vous passez trop de temps à décider quoi faire de votre vie, vous finirez par vous rendre compte qu'elle est arrivée à sa fin. Le temps a été inventé par le Seigneur Tout-puissant afin de donner aux rêves une chance de se réaliser. «L'enfer est la vérité que l'on perçoit trop tard, les tâches que l'on a négligées d'accomplir au moment opportun», a dit Tyron Edwards. Les idées s'envolent vite. Lorsque vous avez une bonne idée, il faut tout de suite la mettre à exécution. «Il existe quelque chose de plus puissant que toutes les armées du monde: c'est une idée dont l'heure est venue de se matérialiser», déclarait Victor Hugo.

Ayez toujours une vision claire de vos rêves. Agissez sans précipitation. Les paroles suivantes de Dieu nous sont révélées dans la Bible: «Une lampe sur mes pas, ta parole, une lumière sur ma route.» (Psaumes 119, 105) La lampe illumine les objectifs que nous nous sommes fixés dans le présent. La lumière nous guide vers l'avenir.

Les décisions hâtives se soldent en général par un échec. Nombreux sont ceux qui omettent de saisir l'occasion idéale pour rechercher d'autres occasions. Saisissez l'occasion d'aujourd'hui aujourd'hui, et les occasions de demain demain.

Ne vous hâtez pas lorsque le succès dépend d'une planification minutieuse. Les gens qui font mauvais usage de leur temps sont les premiers à se plaindre qu'ils en manquent. Le quart arrière le plus rapide au monde ne réussira pas s'il court dans la mauvaise direction.

Agir au bon moment est l'un des principaux ingrédients du succès. «Car c'est une vision qui n'est que pour son temps: elle aspire à son terme, sans décevoir; si elle tarde, attends-la: elle viendra sûrement sans faillir!» (Habaquq 2, 3) Votre vision se réalisera au moment fixé. Ayez la vue perçante; ne soyez pas affligé de presbytie ni de myopie. Au fur et à mesure que j'étudiais les écrits de chefs religieux, je me suis rendu compte qu'au moment clé ils ont dit: «Dieu m'a mené sur cette voie...»

Le fait de respecter la volonté divine vous permettra de laisser libre cours à votre authenticité et vous aidera à vous fixer des priorités. Jésus nous a montré le chemin; pourquoi perdre du temps à explorer d'autres routes?

Demandez à Dieu de vous faire connaître le bon moment et la route à suivre

---

Aujourd'hui, je ferai...

Je me lèverai tôt car la journée n'est jamais assez longue pour abattre tout le travail.

Je ferai des compliments à trois personnes.

Je me rendrai utile à quelqu'un.

Je ne gaspillerai pas une heure le matin pour passer le reste de la journée à essayer de la rattraper.

Je ne me heurterai pas à un problème trop difficile à résoudre.

Je ferai de petites améliorations dans un domaine de mon choix.

Je changerai ma façon de penser. Au lieu de remercier le ciel que le week-end soit enfin arrivé, je remercierai plutôt le Seigneur de m'avoir donné cette journée-ci!

Je ferai au moins trois choses qui m'obligeront à quitter ma zone de confort.

Je renaîtrai de mes cendres.

Je remercierai le ciel de m'avoir donné mon pain quotidien.

Je trouverai quelque chose de différent à faire.

Je rendrai quelqu'un un peu meilleur que je ne l'ai trouvé.

Je consacrerai les heures les plus précieuses à communier avec le Seigneur.

J'observerai la règle d'or afin de ne pas avoir à trouver des excuses pour justifier mes actes demain.

Je saurai que l'endroit où être heureux est ici, et que le moment d'être heureux est maintenant.

Je franchirai de petites étapes pour me débarrasser d'une mauvaise habitude.

Je ne jugerai pas la journée d'aujourd'hui selon la récolte, mais selon les graines que j'aurai plantées.

Vous avez été créé pour établir des relations

Dieu ne nous a pas créés pour que nous fassions des soliloques. Il a établi des connexions divines en notre faveur: de bons amis et de bonnes fréquentations. Ces bonnes relations nous permettent toujours d'être uniques. Vous savez de quelles personnes je parle. Après avoir passé quelques moments avec elles, vous vous sentez moins critique, votre foi s'intensifie et votre vision de l'avenir est plus claire.

Il est essentiel de choisir judicieusement les gens que nous fréquentons souvent. Avez-vous jamais connu un décrocheur qui n'ait pas commencé par avoir de mauvaises fréquentations? Le diable ne se sert pas d'étrangers pour vous dissuader et pour vous arrêter. Ces mauvaises fréquentations font ressortir vos défauts et non pas vos qualités. Après avoir passé un certain temps avec ce genre de personne, vous vous sentez dérouté, porté à critiquer et assailli par le doute et la crainte.

Au fur et à mesure que vous vous rapprocherez de Dieu, vos fréquentations changeront. Certains de vos amis ne voudront pas vous voir progresser. Ils souhaiteront que vous restiez à leur niveau. Les amis qui ne vous aident pas à évoluer souhaitent vous voir ramper. Vos amis peuvent donner plus d'ampleur à votre vision ou bien étouffer votre rêve.

Ne vous laissez jamais convaincre par quiconque d'abandonner une idée qui vous a été inspirée par Dieu. «Ne laissez pas les autres créer votre monde, car ils créent toujours un monde trop étriqué, trop limité», a dit le pasteur Edwin Louis Cole. Qui crée votre monde? Ne vous laissez pas conseiller par les gens peu productifs. Ne discutez jamais de vos problèmes avec une personne incapable de vous aider à trouver une solution.

Ceux qui ne réussissent jamais sont toujours prêts à vous conseiller. Ne donnez pas le droit de parole à n'importe qui. Vous ne recevrez que de mauvais conseils lorsque vous échangerez des idées avec la mauvaise personne. Ne suivez pas ceux qui errent sans but. Il faut suivre les autres aussi loin qu'ils suivent Jésus.

«Lorsque Dieu s'apprête à vous donner sa bénédiction, il envoie quelqu'un dans votre vie», a dit Mike Murdock. Respectez ceux avec qui Dieu vous a permis d'établir des liens et qui sont là pour vous aider. Dieu s'occupe des êtres humains en leur envoyant d'autres êtres.

En compagnie de certaines personnes, vous passez une soirée; avec d'autres, vous investissez votre temps. Sachez faire preuve de discrimination lorsque vous vous arrêtez pour demander quelle direction suivre sur le chemin de la vie. L'homme sage sait faire fructifier son temps en choisissant judicieusement ses amitiés.

Qui s'assemble, se ressemble

Transformez en échelons les briques que l'on vous lance

Toutes les idées brillantes génèrent des conflits. En d'autres termes, votre destin suscite des défis et des critiques. Toute idée brillante comporte trois genres de réactions:

- «C'est impossible: Ne gaspille pas ton temps et ton argent.»
- «C'est possible, mais cela n'a qu'une valeur limitée.»
- «J'ai toujours dit que c'était une très bonne idée.»

Notre réaction face aux critiques devrait être semblable à ce qui est dit dans la Bible dans la deuxième épître aux Corinthiens: «Nous sommes pressés de toutes parts, mais non pas écrasés; ne sachant qu'espérer, mais non désespérés; persécutés, mais non abandonnés; terrassés mais non annihilés.» (4, 8-9)

Les critiques dirigées contre les chrétiens proviennent du diable. Il est dit dans la Bible que le diable a accusé les frères de la chrétienté. Aussi, devons-nous penser: «Comme ils insistaient, il se redressa et leur dit: «Que celui de vous qui est sans péché lui jette la première pierre!» (Jean 8, 7) Ô hommes, faites attention: avant de critiquer les autres, commencez par examiner de près le comportement du frère de votre sœur!

Nous devons écouter notre petite voix intérieure et non pas les déclarations fracassantes de ceux qui annoncent l'apocalypse. Les critiques font toujours partie de la brillante réussite. Si vous vous distinguez de la masse, attendez-vous à recevoir plus de critiques que de compliments. Satan attaque toujours ceux qui peuvent lui faire le plus de mal. Dieu se manifeste de l'intérieur vers l'extérieur; le diable tente de nous influencer de l'extérieur vers l'intérieur.

Sachez que quiconque critique les gens devant vous, en fera autant derrière votre dos. Lorsque quelqu'un tente de vous rabaisser, il essaie en fait de vous ramener à son niveau. Personne n'a jamais érigé de statue en l'honneur d'un critique.

Il est facile de repérer les ratés par la façon dont ils critiquent toujours ceux qui ont réussi. Ceux qui ont du potentiel agissent. Ceux qui n'en n'ont pas critiquent. Ceux qui se plaignent d'être maltraités par le sort sont ceux qui se fouettent eux-mêmes. Si les gens productifs n'existaient pas, les critiques devraient bientôt fermer boutique. La jalousie fournit la boue que les ratés lancent à ceux qui ont réussi. Les critiques qui lancent de la boue perdent en même temps du terrain. Les esprits bornés sont les premiers à condamner les idées brillantes.

Si les gens font des commentaires négatifs à votre égard, menez votre vie de façon à ce que nul ne les croit. La peur des critiques peut vous paralyser et vous empêcher de réaliser vos rêves. Si vous avez peur des critiques, vous mourrez sans avoir accompli quoi que ce soit. Ceux qui réussissent sont ceux qui peuvent se bâtir de solides fondations avec les pierres que les autres leur lancent.

Les critiques sont des compliments lorsque vous suivez le plan que Dieu a dressé pour vous

---

Personne ne réussit seul

Personne ne réussit seul. N'oubliez pas que si vous essayez de vous en tirer seul, la barrière que vous aurez érigée pour vous séparer des autres sera celle qui vous emprisonnera. «Dieu ne repousse personne, sauf ceux qui sont imbus d'eux-mêmes.» (D.L. Moody). Il est fort probable que celui qui travaille seul et uniquement pour son profit sera corrompu par les gens qu'il fréquente.

«Quiconque a fait une bonne action pour nous, ou nous a prodigué quelques paroles d'encouragement, a contribué à former notre caractère, fait partie de nos pensées et a concouru à notre succès», a déclaré George Matthew Adams. Soyez reconnaissant et manifestez promptement votre gratitude à l'égard de ceux qui vous ont aidé. Rendez-vous indispensable à quelqu'un. Il est facile de jeter le blâme sur les autres lorsqu'on échoue, mais savez-vous reconnaître le rôle que les autres ont joué dans votre réussite?

«Une vision étroite des choses vous porte à penser que personne ne travaille aussi dur que vous. C'est l'ennemi du travail en équipe. C'est une porte par laquelle entrent la discorde et les conflits.» (Tim Redmond). Peu de fardeaux sont pesants lorsque tout le monde y met du sien. Les taches de rousseur feraient un joli bronzage si on pouvait les rapprocher.

Celui qui ne croit qu'en lui-même, vit dans un monde très borné, un monde où peu de personnes voudront pénétrer. Celui qui chante ses propres louanges connaît peut-être la bonne mélodie, mais se trompe de paroles. Plus vous occupez un poste important dans la vie, plus vous êtes dépendant des autres. Les gens arrogants ne réussissent jamais parce qu'ils pensent qu'ils possèdent déjà la vérité.

Travaillez de concert avec les autres. Souvenez-vous de l'anecdote de la banane: chaque fois qu'une banane s'écarte des autres, on la pèle et on la mange. Vous ne connaîtrez jamais le succès durable si vous n'entretenez pas de bonnes relations avec les gens. Personne ne peut réussir seul à faire le travail d'une bonne équipe. Le «nous» renforce le «moi».

Trouvez quelqu'un qui puisse vous aider

Le sourire est plus puissant que la grimace

Les gens les plus démunis au monde sont ceux qui ont perdu leur joie. Décidez de devenir la personne la plus positive et la plus enthousiaste que vous connaissiez.

Au cours d'un sondage effectué récemment, on a demandé à 200 leaders nationaux quelles sont les qualités qui permettent de réussir. En fait, 80 % ont répondu que l'enthousiasme est la qualité principale. Les gens enthousiastes suscitent l'enthousiasme chez les autres et réussissent à les rallier à leur cause.

Combien de gens connaissez-vous qui ont réussi en travaillant dans un domaine qu'ils détestent? «Trouvez quelque chose que vous aimez véritablement faire et vous n'aurez plus jamais besoin de travailler de votre vie», a déclaré l'écrivain Harvey MacKay. Thomas Carlyle a dit: «Quelle satisfaction de voir un homme qui chante tout en travaillant.» Voilà le genre de personne que je voudrais engager!

«Gardez le visage tourné vers le soleil et vous ne percevrez pas l'ombre», a dit Hellen Keller. L'imprudent recherche le bonheur dans l'avenir; l'homme sage cultive le bonheur aujourd'hui même. Il n'y a rien de plus triste à voir qu'un chrétien pessimiste. Le monde vous semblera plus agréable si vous souriez. Un sourire est la distance la plus courte entre deux personnes.

Le bonheur se trouve toujours en soi. Notre premier choix est de nous réjouir. «Et nous savons qu'avec ceux qui l'aiment, Dieu collabore pour leur bien, avec ceux qu'il a appelés selon son dessein.» (Romains 8, 28) «Heureux le peuple où il en est ainsi, heureux le peuple dont Yahvé est le Dieu!» (Les Psaumes 144, 15) La joie du Seigneur est contagieuse.

Envisagez l'avenir sans crainte, avec confiance. «Le rire est une forme de jogging interne. Il stimule vos organes. Il augmente la capacité respiratoire. Il déclenche de grandes espérances», a dit Norman Cousins. Dieu a dit: «Si vous ne chantez pas mes louanges, les pierres s'en chargeront.» Faites en sorte de ne pas vous voir remplacé par un tas de pierres!

Pour chaque minute de colère, vous perdez 60 secondes de bonheur. Deux facteurs contribuent au bonheur: ce dont nous pouvons nous passer et ce dont nous avons besoin. Les gens sont aussi heureux qu'ils décident de l'être. On ne peut jamais trouver le bonheur, pour la simple raison qu'on ne l'a jamais perdu. Soyez comme la bouilloire! Bien qu'elle soit dans l'eau bouillante jusqu'au cou, elle continue à chanter.

Souriez,
cela rehausse la beauté de votre visage

Troisième partie:

Gardez le regard tourné vers le ciel

Si vous cueillez les fleurs de l'arbre fruitier, vous vous passerez des fruits

Le plan que Dieu a dressé pour vous change selon les saisons. «Il y a le moment pour tout, et un temps pour tout faire sous le ciel.» (L'Ecclésiaste 3, 1) Il y a une saison pour tout.

Dieu vous fait passer par l'hiver. C'est une saison de préparation, de révélation et d'orientation. C'est aussi le moment où les racines poussent. Dieu veut construire des bases solides en vous au cours de cette saison. Mais ce n'est pas la saison des moissons.

Dieu vous fait passer par le printemps. C'est le moment de planter, de bêcher et d'arroser. En d'autres termes, c'est la saison d'un dur labeur. Dieu veut que vous travailliez de façon à réaliser votre plan. Mais le printemps n'est pas non plus la saison des moissons.

Dieu vous fait connaître l'été. L'été est la saison de l'épanouissement. C'est le moment où vos idées d'inspiration divine se matérialisent et où vos activités, vos intérêts et les gens qui vous entourent commencent à converger vers votre plan. Mais toutes les activités de l'été ne se traduisent que par une maigre moisson. C'est alors que vient l'automne.

C'est la saison de la moisson divine. C'est au cours de cette saison que vous récoltez enfin le fruit de tous vos efforts. Mais la plupart des gens ne découvrent jamais l'automne. Ils abandonnent souvent en cours de route parce qu'ils ne savent pas en quelle saison ils se trouvent.

Comprendre que Dieu a dressé des plans différents selon les saisons, vous prépare à faire ce qu'il faut au bon moment. C'est une source d'inspiration qui vous pousse à persévérer jusqu'à ce que l'automne arrive. La parole de Dieu est véridique lorsqu'il dit: «Ne nous lassons pas de faire le bien; en son temps viendra la récolte, si nous ne nous relâchons pas.» (Épître aux Galates 6, 9)

«C'était le printemps, mais c'était l'été que je désirais,
les journées chaudes, et la nature magnifique.
C'était l'été, mais c'était l'automne que je désirais,
les feuilles aux riches couleurs et l'air frais et sec.
C'était l'automne, mais c'était l'hiver que je désirais,
la belle neige et la joie de la saison des fêtes.
J'étais un enfant, mais c'était l'âge adulte que je désirais,
la liberté, et le respect.
J'avais 20 ans, mais je souhaitais en avoir 30,
être mûr et sophistiqué.
J'ai eu 40 ans, mais je souhaitais en avoir 30,
la jeunesse, et l'esprit libre.
J'étais arrivé à l'âge de la retraite, et je souhaitais avoir 40 ans, la présence d'esprit, sans limites.
Ma vie était finie,
mais je n'ai jamais obtenu ce que je désirais.»

– Jason Lehman

Dieu a dressé des plans précis pour chaque saison de votre vie.

Sachez respecter les saisons que Dieu a prévues pour vous

Un acte a plus de valeur que mille bonnes intentions

« Or, comme il (Jésus) parlait ainsi, une femme éleva la voix du milieu de la foule et lui dit: "Heureuses les entrailles qui t'ont porté et les seins que tu as sucés." Mais lui répondit: "Heureux plutôt ceux qui écoutent la parole de Dieu et la gardent!"» (Luc 11, 27). Le Seigneur bénit encore davantage celui qui respecte sa parole plutôt que la mère de Jésus.

Peu de rêves se réalisent spontanément. L'épreuve consiste à passer aux actes. Personne n'a jamais trouvé une occasion en or en restant assis chez lui. Même les mouches ne reçoivent une tape sur le dos que lorsqu'elles sont au travail. Voici ce que dit un célèbre poème anonyme: «Personne n'est devenu célèbre en restant assis et en espérant; le Seigneur envoie le poisson, et c'est à vous d'appâter l'hameçon.»

Prenez conscience du fait que vous n'apprendrez rien en vous contentant simplement de parler de vos projets. Les mots, s'ils ne s'allient pas aux actes sont les assassins des rêves. La moindre bonne action vaut mieux que les meilleures intentions. Lorsque vous agissez à bon escient, vos actes comptent vraiment. L'action est le fruit de la connaissance. Lorsqu'une idée vous vient à l'esprit, vous devriez avoir la même réaction que lorsque vous vous assoyez sur une punaise – cela devrait vous faire bondir et agir immédiatement.

«Va voir la fourmi, paresseux! observe ses mœurs et deviens sage: elle qui n'a ni magistrat ni surveillant ni chef, durant l'été elle assure sa provende et amasse, au temps de la moisson, sa nourriture.» (Les Proverbes 6, 6-8)

«Personne ne prêche mieux que cette fourmi, et cependant elle ne dit pas un mot.» (Benjamin Franklin). On vous respectera en fonction de vos actes; l'inaction suscite le mépris.

Pour certaines personnes, la vie n'est qu'un rêve dénué de sens car ils ne savent pas s'investir. Chaque fois que quelqu'un exprime une idée, il trouve 10 personnes qui y ont déjà pensé, mais qui n'ont pas agi. Mark Twain a déclaré: «Le tonnerre est bon, le tonnerre est impressionnant, mais c'est l'éclair qui fait le travail.» Ce livre aura fait ses preuves lorsque le lecteur se dira après l'avoir lu: «Je vais agir!» et non pas: «Quel bon livre!».

Le diable est prêt à vous écouter quand vous confessez que vous avez la foi tant et aussi longtemps que vous ne la mettez pas en pratique. Lorsque nous prions, nous devons simultanément être prêt à agir en fonction de ce que Dieu nous dicte en réponse à notre prière. Les réponses à notre prière incluent les actes.

Il est dit dans la Bible que: «Comme le corps sans l'âme est mort, de même la foi sans les œuvres est-elle morte.» (Épître de saint Jacques 2, 26) «Même par ses jeux, un enfant fait connaître si ses agissements seront purs et droits.» (Les Proverbes 20, 11). Nombreux sont ceux qui évitent de découvrir le secret du succès, car au fond d'eux-mêmes, ils soupçonnent que ce secret consiste fort probablement en une rigoureuse discipline de travail.

Agissez dès maintenant et suivez la voie que Dieu trace pour vous

Suivez le rythme de Dieu

Dieu est un stratège. Il est parfaitement organisé et suit un rythme précis qui ressemble davantage à celui du coureur de marathon qu'à celui du sprinteur. Dieu a constamment à l'esprit un plan qui englobe toute notre vie et non pas simplement le lendemain. Rappelez-vous que Dieu n'est jamais en retard. N'essayez jamais de faire en sorte que Dieu se hâte. «C'est pourquoi ainsi parle le Seigneur Yahvé: «Voici que je pose à Sion une pierre témoin, angulaire, précieuse, fondamentale.» (Isaïe 28, 16) Les affaires urgentes sont rarement urgentes. Nous nous sentons généralement sous pression lorsque nous omettons de suivre le rythme divin.

Il est dit dans la Bible: «Le cœur de l'homme cherche sa voie, mais c'est Yahvé qui affermit ses pas.» (Les Proverbes 16, 9) Il est également dit dans la Bible: «Recommande à Yahvé tes œuvres, tes projets se réaliseront.» (Proverbes 16, 3) Les peureux ne commencent jamais, et les tièdes meurent en chemin. Dieu est l'espoir de la personne authentique, unique, et l'excuse de celui qui est une copie. Dieu est-il votre espoir ou votre excuse?

Adoptez le rythme du Seigneur; Son secret est la patience. On ne perd jamais son temps lorsqu'on sert Dieu. La route qui mène au succès suit une pente escarpée, aussi ne vous attendez pas à fracasser des records de vitesse. Toutes les grandes réalisations exigent du temps. Le bonheur est une direction que l'on suit, et non pas une destination que l'on atteint.

Au cours des heures les plus sombres de la guerre civile, on demanda à Abraham Lincoln s'il était sûr que Dieu était de son côté. Il répondit: «Je ne sais pas: je n'ai pas pensé à ça. Mais ce qui me préoccupe beaucoup, c'est de savoir si nous sommes du côté de Dieu.» «La force de la main consiste à découvrir le chemin que suit Dieu, et de suivre ce même chemin», a déclaré Henry Ward Beecher.

Le fait de marcher au même rythme que Dieu nous permet de construire des bases solides. Rien n'est permanent à moins que cela ne corresponde à la volonté divine et à la parole divine. «Si Yahvé ne bâtit la maison, en vain les maçons peinent; si Yahvé ne garde la ville, en vain la garde veille.» (Les Psaumes 127, 1) «Yahvé mène les pas de l'homme, ils sont fermes et sa marche lui plaît; (...)» (Psaumes 37:3). Ne restez jamais là où Dieu ne vous a pas envoyé.

Un chrétien qui maintient le bon rythme est comme une bougie dont la cire doit rester fraîche, mais dont la mèche doit brûler (mais si vous brûlez la chandelle par les deux bouts, vous n'êtes pas aussi brillant que vous le pensez).

Tous les grands hommes ont tout d'abord appris à obéir, à qui obéir et quand obéir. Il est dit dans un célèbre poème d'auteur inconnu: «Mon âme ne se satisfait ni de l'endroit que je choisis, ni de l'endroit que j'évite; mais lorsque Vous dirigez mes pas, j'éprouve de la joie à partir ou à rester.»

Dieu garde à l'esprit le déroulement de toute votre vie lorsqu'Il vous dirige

---

L'alphabet de l'authenticité

A

Attitude

B

Bon

C

Caractère

D

Décidé

E

Effort

F

Force

G

Gratitude

H

Honnêteté

I

Idées

J

Joie

L

Leadership

M

Miséricordieux

N

Non-conformiste

O

Objectifs

P

Prière

Q

Quiétude

R

Responsabilité

S

Sensibilité

T

Ténacité

U

Unique

V

Vigilant

X

---

e(X)ceptionnel

Z

Zélé

Dans la course vers l'excellence, il n'y a pas de ligne d'arrivée

Engagez-vous à exceller dès le départ. L'héritage le plus précieux est l'excellence. La qualité de votre vie sera directement proportionnelle à l'engagement que vous prendrez d'exceller, quel que soit le projet que vous choisirez d'entreprendre.(Il y a quelque chose de bizarre dans la vie; si l'on décide de n'accepter que ce qu'elle a de meilleur à nous offrir, très souvent, c'est ce que l'on obtient», a déclaré Somerset Maugham. Il faut moins de temps pour faire les choses correctement que d'expliquer pourquoi on les a faites de la mauvaise manière. «Il y a une différence infinie entre un peu faux et tout à fait exact, entre assez bon et meilleur, entre la médiocrité et la supériorité», a déclaré Orison Swett Marcen.

Nous devrions nous poser la question suivante chaque jour: «Pourquoi mon patron devrait-il m'engager au lieu d'engager quelqu'un d'autre?» ou «Pourquoi les gens devraient-ils faire affaire avec moi plutôt qu'avec mes concurrents?» «Surveillez vos actes, ils deviennent des habitudes. Surveillez vos habitudes; elles façonnent votre caractère. Surveillez votre caractère; il devient votre destin», a déclaré Frank Outlaw.

«Le péché dispose de nombreux outils, mais le mensonge est le manche qui sert à les tenir tous», a dit Oliver Wendell Holmes. Ceux qui disent de pieux mensonges, finissent rapidement par en dire de moins pieux. Un mensonge ne peut pas tenir seul sur ses pieds – il entraîne nécessairement d'autres mensonges. Lorsque vous déformez la réalité, faites attention aux conséquences. Chaque fois que vous mentez, même s'il s'agit d'un pieux mensonge, vous faites un pas vers l'échec. Néanmoins, chaque fois que vous êtes honnête, vous vous propulsez vers la réussite.

Les forces extérieures ne contrôlent pas votre personnalité. C'est vous qui la contrôlez. La meilleure façon de jauger le caractère de quelqu'un est de lui demander ce qu'il ferait s'il savait qu'il le ferait en toute impunité. Préoccupez-vous davantage de votre caractère que de votre réputation, car votre caractère est ce qui vous définit réellement alors que votre réputation représente seulement ce que les autres pensent que vous êtes. Il n'y a pas de bonne façon d'emprunter le mauvais chemin.

«Celui qui est bon deviendra infailliblement meilleur, et celui qui est mauvais deviendra tout aussi certainement pire; car le vice, la vertu et le temps sont trois éléments qui ne stagnent jamais», a déclaré Charles Caleb Colton. J'ai récemment vu une plaque sur laquelle on pouvait lire: «On peut parvenir à l'excellence si on est plus compatissant qu'il n'est sage de l'être d'après les autres, si l'on risque plus qu'il n'est prudent de le faire selon les autres, si l'on rêve davantage qu'il n'est pratique de le faire selon les autres, si l'on s'attend à plus qu'il n'est possible de le faire, selon les autres.» L'excellence est contagieuse... Soyez un leader... Déclenchez une épidémie!

Engagez-vous à exceller dans la pratique de l'excellence

Dieu en a-t-Il terminé avec vous?

Si vous respirez encore, la réponse est non. Ne soyez pas un mort vivant. Il est dit dans la Bible: «Ta droite aura tout fait pour moi. Yahvé, éternel est ton amour, ne cesse pas l'œuvre de tes mains.» (Les Psaumes 138, 8) Dieu perfectionne et met constamment au point chacun d'entre nous. Il veut remplir toutes Ses promesses et objectifs dans nos vies.

Il est dit dans la Bible: «Car les dons et l'appel de Dieu sont sans repentance.» (Épître aux Romains 11, 29) Les qualités dont Dieu vous a doté vous accompagneront toute votre vie. Il veut que vous vous en serviez pour exécuter le plan qu'Il a dressé pour vous.

«Un seul gland de chêne contient les graines nécessaires à la création de milliers de forêts», disait Ralph Waldo Emerson. La création de votre destin provient des graines que contiennent vos talents et votre vocation d'origine divine.

Dieu commence sur une note positive et finit sur une note positive. «J'en suis bien sûr d'ailleurs, Celui qui a commencé en vous cette œuvre excellente en poursuivra l'accomplissement jusqu'au Jour du Christ Jésus.» (Épître aux Philippiens 1, 6) Jésus n'est pas encore revenu, et cela signifie donc que Dieu n'a pas terminé son travail avec vous. Dieu veut que nous continuions sur notre élan, et que nous passions d'une bonne œuvre à une autre.

Ne vous contentez pas de passer d'une chose à l'autre, entreprenez des projets plus ambitieux. La douleur d'être chrétien est une douleur de croissance et ces douleurs de croissance mènent à la maturité. Lorsque vous aurez pris le chemin qui mène vers Dieu, vous le sentirez dans votre cœur. Lorsque la foi s'étire, elle augmente en intensité. «Plus nous faisons et plus nous pouvons faire», a dit William Hazlitt.

La récompense de vos réussites passées se traduit par de nouvelles occasions encore plus intéressantes et vous permet de continuer sur votre lancée. Pour bien des gens, le succès se convertit en échec lorsqu'ils cessent leurs efforts après une victoire. Lorsque nous faisons notre possible, Dieu fait le reste pour nous. Il n'en a pas terminé avec vous!

Ce que vous croyiez mort renferme encore de la vie

Avant de prendre votre petit-déjeuner, cultivez la conviction qu'il vous est possible de réaliser six choses apparemment impossibles

Imaginez que vous commencerez la journée de demain dans un état d'esprit entièrement différent. Au lieu de vous contenter de vous étirer lorsque vous sortez du lit, étirez tout votre être et prenez conscience de toutes les bonnes choses que Dieu vous réserve. Pensez, planifiez, ayez foi et priez afin de recevoir les choses qui exigent la participation de Dieu.

Soyez productifs dès le premier moment de la journée. La plupart des gens gaspillent une heure au début de la journée et passent le reste de la journée à essayer de la récupérer. La première heure du matin est le gouvernail de la journée. Ne commencez jamais votre journée au point mort. Prenez l'offensive. Cultivez l'habitude de prendre des initiatives. Ce sont les gens qui n'ont pas besoin de patron que l'on choisit généralement pour devenir des patrons. Lorsque vous savez vous mettre en branle tout seul, les autres n'ont pas besoin de tourner la manivelle de votre moteur.

Le diable est enchanté de vous voir remettre vos tâches à plus tard. Il ne se soucie guère de vos plans tant et aussi longtemps que vous ne vous en occupez pas activement. Vous n'obtiendrez jamais ce que vous cherchez, à moins de faire l'effort nécessaire. La clé de votre avenir se trouve dans la façon dont vous abordez la vie quotidiennement.

Saisissez votre destin. Ne le laissez pas vous glisser entre les mains. «Si Dieu vous a appelé, ne tournez pas la tête pour voir qui vous suit.» «Que chacun demeure dans l'état où l'a trouvé l'appel de Dieu.» (I Corinthiens 7, 20) «La terrible agonie physique que Jésus endura alors qu'Il portait la croix était insignifiante comparée à l'indifférence de la foule regardant Jésus passer sur la rue principale», a déclaré Allan Knight Chalmers. Ne vivez pas votre vie avec indifférence comme si Jésus n'avait rien fait pour vous.

Satan tremble de voir le chrétien le plus faible prendre l'offensive. «Le petit-déjeuner des champions chrétiens, c'est la première prière tôt le matin» Billy Joe Daugherty. Dieu mérite que vous lui consacriez du temps. Rapprochez-vous de Dieu dès le départ et votre parcours sera victorieux.

Commencez votre journée du bon pied et continuez sur votre lancée

Vérité n° 41

Vous serez toujours plus convaincu de découvrir vous-même les choses plutôt que des découvertes des autres

Cessez de dépendre des autres et commencez plutôt à dépendre de Dieu. C'est Lui la source qui vous indique quelle direction suivre. Néanmoins, bien des gens fondent leurs croyances, leurs actes et leurs paroles sur ce que les autres croient, font et disent. La révélation n'est une révélation que s'il s'agit de la vôtre. La connaissance de Dieu se produit par la révélation et non par l'explication.

Il va sans dire que Dieu se manifeste par le biais de pasteurs, de leaders chrétiens, de livres, de programmes de télévision religieux, de cassettes audio et de bien d'autres façons qui nous permettent de découvrir la vérité dans notre vie. Ce qu'ils disent est juste mais ce n'est pas suffisant. La foi ne nous donne des résultats que quand nous sommes profondément convaincus de la véracité de la parole de Dieu et que nous mettons notre foi à l'épreuve. La foi d'autrui ne vous permettra pas d'arriver au Paradis ni de vivre pleinement votre destin.

Il y a deux sortes de sots. Les premiers disent: «Ceci est ancien, aussi est-ce bon.» Les seconds disent: «Ceci est nouveau, aussi est-ce encore meilleur.» N'entreprenez rien à moins que vous ne soyez profondément convaincus du bien-fondé de vos actes; mais n'abandonnez pas non plus votre projet quand quelqu'un d'autre n'est pas sûr de vous.

Les principales convictions qui guident notre vie ne proviennent pas de la parole des autres. «La Bible est tellement simple qu'il faudrait l'intervention de quelqu'un d'autre pour ne pas la comprendre», disait Charles Capps. Les théologiens essaient constamment de présenter la Bible comme s'il s'agissait d'un livre dénué de sens commun. Et pourtant, Dieu en a fait un livre simple pour nous permettre de découvrir la vérité par nous-mêmes. John Wesley a parfaitement exprimé cette idée lorsqu'il a dit: «Quand j'étais jeune, j'étais sûr de tout; en l'espace de quelques années, ayant commis des milliers d'erreurs, j'étais 50% moins sûr de tout; à présent, je ne suis presque plus sûr de rien, sauf de ce que Dieu m'a révélé.

Abandonnez les croyances des autres et adoptez les vôtres

Certaines forces influencent la journée de chacun

Quelle est la force qui joue un rôle prépondérant dans vos journées? S'agit-il des actualités quotidiennes, de votre voisin grincheux, du souvenir d'un échec? Ou s'agit-il plutôt des plans que Dieu a dressés pour vous, de Sa Parole dans votre cœur, d'un chant louant le Seigneur? Faites en sorte que le plan que Dieu a conçu pour vous influe sur votre journée, sans quoi vous subirez d'autres influences externes.

La médiocrité a son propre type d'intensité. Elle veut dominer votre journée. Elle peut influencer et affecter tous les aspects de votre vie si vous le permettez. «Les gens industrieux sont parfois victimes de tentations, mais les gens oisifs sont la proie de toutes les tentations.» (Charles Spurgeon)

Une vie productive n'est pas le produit de la chance. C'est le résultat d'un choix judicieux. Des petites buttes de boue peuvent devenir des montagnes. Si vous ne restez pas vigilant, l'ombre de la montagne peut assombrir toute votre journée.

Lorsque les nouvelles essaient d'influencer votre journée, faites en sorte que ce soit les bonnes nouvelles qui prédominent.

Lorsque le passé tente d'influencer votre journée, faites en sorte que vos rêves culminent dans votre journée.

Lorsque la crainte tente d'influencer votre journée, faites en sorte que les bonnes actions gouvernent votre journée.

Lorsque vous glissez dans l'habitude de remettre les choses au lendemain, tentez plutôt d'effectuer de petits progrès qui triompheront toute votre journée durant.

Lorsque les mauvaises influences tentent de dominer votre journée, faites en sorte que les bonnes fréquentations influent sur votre journée.

Lorsque le désarroi tente d'influencer votre journée, faites en sorte que ce soit la parole de Dieu, l'influence votre journée.

Lorsque la solitude tente d'affliger votre journée, faites en sorte que la prière règne sur votre journée.

Lorsque la discorde tente d'influencer votre journée, faites en sorte que la paix prévale sur votre journée.

Lorsque votre esprit tente de dominer votre journée, faites en sorte que l'Esprit saint régisse votre journée.

Lorsque la jalousie tente de dominer votre journée, faites en sorte que la bénédiction que vous envoyez aux autres subjugue votre journée.

Lorsque la stupidité tente de commander votre journée, faites en sorte que la générosité soumette votre journée.

Faites en sorte que Dieu influence votre journée

Une fois que vous aurez trouvé une meilleure voie, améliorez-la encore davantage

Tous les progrès sont le fruit du labeur de ceux qui ne se sont pas contentés de résultats satisfaisants. «L'homme se contentait de glands de chêne jusqu'au jour où il découvrit le pain», a dit Sir Francis Bacon. La majorité des êtres humains échoue en raison de leur manque de persévérance et de leur refus d'élaborer de nouveaux plans pour perfectionner ceux qui ont été couronnés de succès.

Si vous réussissez dès le départ, entreprenez quelque chose d'encore plus difficile. Il n'y a pas de plus grande erreur que d'abandonner la partie après une victoire. S'il ne vous vient pas de nouvelles idées, trouvez une façon de tirer profit d'une ancienne idée. «Lorsque nous ne pouvons pas inventer, nous pouvons du moins améliorer», a dit Charles Caleb Colton.

Ne cherchez pas la réponse à votre problème; cherchez de multiples réponses, puis choisissez la meilleure. Celui qui progresse, c'est celui qui fait plus que le nécessaire et qui continue d'aller de l'avant. «La différence entre ordinaire et extraordinaire, c'est ce petit mot «extra»», a dit Zig Ziglar, le spécialiste de la motivation.

Il y a toujours une solution – il existe toujours une meilleure solution. Lorsque vous aurez trouvé quelque

chose, continuez à chercher. On ne quitte jamais défini-
tivement les bancs de l'école! Plus vous désirerez since-
rement quelque chose, plus vous essaierez de trouver
une meilleure solution.

Plus nous nous rapprochons du Seigneur, plus Il se
rapproche de nous. «Que le sage écoute et il augmentera
son acquis, et l'homme entendu acquerra l'art de diri-
ger.» (Les Proverbes 1, 5) Le principal ennemi du
meilleur, c'est le bon. Si vous êtes satisfaits de ce qui est
bon, vous n'atteindrez jamais ce qu'il y a de mieux.

«Ce qui compte, c'est ce que l'on apprend une fois
que l'on sait tout», a dit John Wooden. Celui qui pense
tout savoir a simplement cessé de penser. Si vous croyez
être arrivé, vous serez laissé-pour-compte. Celui qui a
brillamment réussi continue à chercher du travail même
après avoir trouvé un emploi.

Déclenchez des événements. «Montrez-moi un
homme véritablement satisfait et je vous montrerai un
échec», a dit Thomas Edison. Un jour, Cyrus H. K. Cur-
tis fit la remarque suivante à son associé, Edward Bok:
«Il y a deux sortes de gens qui ne sont jamais bons à
grand-chose.» «De quel genre de personnes s'agit-il?»,
demanda Edward Bok. «Celles qui ne peuvent pas faire
ce qu'on leur dit de faire», répliqua le célèbre éditeur,
«et celles qui ne savent faire rien d'autre qu'obéir.»
Trouvez une meilleure solution, et continuez de l'améliorer sans cesse.

*Dieu a toujours une meilleure solution à
vous offrir*

Dieu a fait de vous...

Dieu a fait de vous une personne différente, et non pas indifférente.

Dieu a fait de vous une personne extraordinaire, et non pas ordinaire.

Dieu a fait de vous quelqu'un d'important, et non pas d'insignifiant.

Dieu a fait de vous une personne compétente, et non pas incompétente.

Dieu a fait de vous une personne compatible, et non pas incompatible.

Dieu a fait de vous une personne active, et non pas inactive.

Dieu a fait de vous une personne indispensable, et non pas quelqu'un dont on peut se dispenser.

Dieu a fait de vous quelqu'un d'efficace, et non pas d'inefficace.

Dieu a fait de vous un adepte, et non pas une personne inepte.

Dieu a fait de vous une personne distincte, et non pas indistincte.

Dieu a fait de vous une personne adéquate, et non pas inadéquate.

Dieu a fait de vous un être supérieur, et non pas inférieur.

Dieu a fait de vous une personne responsable, et non pas irresponsable.

Dieu a fait de vous une personne solvable, et non pas insolvable.

Dieu a fait de vous une personne raisonnable, et non pas déraisonnable.

Dieu a fait de vous une personne efficiente, et non pas déficiente.

Dieu a fait de vous une personne constante, et non pas inconstante.

Dieu a fait de vous une personne perspicace, et non pas bornée.

Dieu a fait de vous une personne irrésistible, et non pas résistible.

Dieu a fait de vous une personne sensible, et non pas insensible.

Dieu a fait de vous une personne peu commune, et non pas commune.

Dieu a fait de vous une personne décidée, et non pas indécise.

Dieu a fait de vous une personne unique, et non pas une copie!

Vérité no 45

Une excuse est le pire achat que vous puissiez faire

Les excuses sont les clous qu'on emploie pour construire la maison de l'échec. Une excuse est pire et plus terrible qu'un mensonge, car une excuse est un mensonge dissimulé. En effet, 99 % des échecs se produisent parmi les gens qui ont l'habitude de se chercher des excuses.

Lorsqu'on est habile dans l'art de se chercher des excuses, il est difficile d'exceller dans autre chose. Ne tentez pas de trouver des excuses, concentrez-vous plutôt sur vos progrès. Les excuses remplacent toujours les progrès. Même si quelqu'un échoue de nombreuses fois, il ne devient un raté qu'à partir du moment où il jette le blâme sur quelqu'un ou sur quelque chose.

Il est possible d'expliquer un échec par de nombreuses raisons, mais jamais par une excuse. Ne laissez jamais un défi se convertir en alibi. Vous avez le choix: vous pouvez faire en sorte que l'obstacle devienne une excuse ou une occasion. Aucune excuse ne vous aidera à suivre la voie que Dieu vous a tracée.

Une excuse, c'est l'envers de l'égoïsme. Ceux qui n'ont pas la foi se chercheront toujours une excuse. Par contre, celui qui veut vraiment accomplir quelque chose trouve une façon de le faire; les autres trouvent des excuses.

Les excuses précipitent toujours l'échec. «Doux est à l'homme le pain de la fraude, mais ensuite la bouche est remplie de gravier.» (Les Proverbes 20, 17)

Une excuse n'est qu'un voile de fausseté étiré jusqu'à craquer pour recouvrir un mensonge flagrant. Satan se tient prêt à fournir une excuse pour justifier chaque péché.

Le succès est une question de chance. Par contre, les faibles se trouvent toujours de nombreuses excuses pour justifier leurs échecs. Ne faites jamais l'achat d'une excuse.

Échangez vos excuses pour des occasions

Sur les portes des occasions se trouve la mention «Poussez»

Sachez vous montrer dynamique et recherchez les occasions. Il est possible qu'elles ne puissent pas vous trouver toutes seules. La raison pour laquelle beaucoup de gens ne font pas grand-chose dans la vie est attribuable au fait qu'ils écartent les occasions et cèdent à leur habitude de remettre les choses au lendemain. Cette habitude de remettre les choses à plus tard est le cimetière où se trouvent enterrées les occasions. Ne vous mettez pas à chercher des trèfles dans votre arrière-cour puisque les occasions frappent à la porte d'entrée. Ceux qui savent faire preuve de ténacité trouvent toujours le temps et l'occasion.

De grands problèmes cachent souvent de grandes occasions. Nos rêves se matérialisent souvent quand nous avons triomphé de nos adversaires et surmonté de nombreux obstacles. Apprenez à tirer parti des occasions qui se présentent à vous et à laisser aller tout ce qui vous tourne le dos. L'adversité est un sol fertile, propice à l'expression créatrice.

Pour le chrétien vigilant, les interruptions ne sont que des occasions envoyées par le Seigneur. Les déceptions de la vie sont des rendez-vous cachés avec les occasions. Lorsque Dieu se prépare à faire quelque chose de merveilleux, Il commence par envoyer une difficulté. Lorsqu'Il a l'intention de faire quelque chose de véritablement extraordinaire, Il commence par nous bombarder d'obstacles apparemment impossibles à surmonter!

«Le sage sait tirer parti des moindres occasions», a déclaré Francis Bacon. Il est beaucoup plus important de trouver une situation qui mène à des occasions que des circonstances qui conduisent à la richesse. Avez-vous déjà remarqué que les gens qui ont brillamment réussi ne sont jamais à court d'occasions? Lorsque les as de la réussite accordent des entrevues aux médias, ils parlent toujours de leurs plans extraordinaires pour l'avenir. Nous serions, pour la plupart, portés à penser: «Si j'étais à leur place, je me reposerais et je ne ferais plus rien.» Néanmoins, la réussite n'étanche pas leur soif de rêve.

Il est beaucoup plus important d'apprendre à saisir les occasions multiples que nous offre la vie que de posséder de nombreux talents. La vie est pleine d'occasions en or pour faire ce qu'il nous incombe de réaliser. Chacun peut faire sa part. Commencez par ce que vous êtes capable de faire et ne laissez pas les choses que vous êtes incapable de faire vous arrêter.

La joie et des occasions de plus en plus intéressantes sont la récompense de celui qui est capable de saisir les moindres occasions. Dans la parabole ayant trait au talent, le maître dit au serviteur qui avait su se débrouiller avec ce dont il disposait: «C'est bien, serviteur bon et fidèle, lui dit son maître, en peu de choses tu as été fidèle, sur beaucoup je t'établirai; entre dans la joie de ton seigneur.» (Évangile selon saint Matthieu 25, 23)

Bien des gens semblent croire que l'occasion est la possibilité d'obtenir de l'argent sans avoir à le gagner. Les plus beaux cadeaux que nous envoie Dieu ne sont pas des choses, mais des occasions. Et sur les portes d'occasions se trouve la mention «Poussez.»

Surmontez les barrières artificielles et apprenez à saisir toutes les nouvelles occasions

---

Élargissez vos horizons

Nous vivons tous sous le même ciel, mais nous ne contemplons pas tous le même horizon. Les personnes uniques gardent toujours une vue d'ensemble. Élargir ses horizons signifie être capable de percevoir les possibilités qui vous entourent. Lorsque vous élargirez vos horizons, votre perception de la vie changera. Vous commencerez à éprouver différemment les choses autour de vous.

Les contraintes extérieures ne diminuent pas le courage du chrétien. «Ne craignez pas de faire un grand pas en avant si la situation l'exige. Il est impossible de franchir un gouffre en deux petits sauts.» «Visez le soleil; vous ne l'atteindrez peut-être pas, mais votre flèche s'envolera beaucoup plus haut que si vous visez un objet qui se trouve au même niveau que vous», a dit Joel Hawes.

Une femme rencontra un jour Pablo Picasso dans un restaurant et sa perception de la vie en fut changée pour toujours; elle lui demanda de gribouiller quelque chose sur sa serviette de table. Elle lui dit qu'elle se ferait un plaisir de lui payer la somme que l'artiste estimerait juste. Picasso fit ce que la femme lui demanda et lui dit: «Ça fera 10 000$» «Mais vous avez fait ce dessin en 30 secondes à peine», s'exclama la femme. «Non», répondit Picasso, «il m'a fallu 40 ans pour le faire.»

«Si donc le Fils vous affranchit, vous serez réellement libres.» (Évangile selon saint Jean 8, 36) La connaissance de Jésus vous apportera la liberté, et la liberté vous permet d'avoir une vision et des pensées plus élevées. La vision est l'art de voir des choses que personne n'avait remarquées auparavant.

Si ce que vous avez accompli hier vous semble encore extraordinaire, c'est que vous n'avez pas fait grand-chose aujourd'hui. Vous ne trouverez jamais la foi dans des circonstances faciles. Lorsque Dieu vous met à l'épreuve, il vous change pour toujours. Ceux qui ont peur d'en faire trop, n'en font jamais assez. Assurez-vous que le chemin que vous parcourez ne mène pas à un cul-de-sac.

«L'homme ne découvrira de nouveaux océans qu'à condition d'avoir le courage de perdre le rivage de vue.» «Quand il eut fini de parler, il dit à Simon: «Avancez en eau profonde, et lâchez vos filets pour la pêche.»» (Luc 5, 4) La puissance de l'énergie spirituelle que l'on gaspille est de loin supérieure à celle des chutes du Niagara. Vous n'évoluerez qu'à condition d'avoir une vision plus étendue des choses.

Regardez autour de vous... Regardez ensuite un peu plus loin... Puis, regardez encore un peu plus loin...

Les bonnes intentions
ne suffisent pas

Il faut parfois se débarrasser d'un excès de prudence et affronter le destin. «Ceux qui ne savent pas prendre de risques jouent le rôle le plus dangereux du monde», a dit Hugh Walpole. Voici le secret de la réussite: il faut savoir abandonner la sécurité du quotidien pour réaliser pleinement son potentiel. Si vous craignez d'entreprendre des projets dont l'envergure semble vous dépasser, vous n'évoluerez jamais.

Voici une définition de la «médiocrité»: le meilleur du pire et le pire du meilleur. Le «potentiel» signifie que vous n'avez pas encore donné votre pleine mesure. Les bonnes intentions sont comme des chèques que nous essayons de tirer dans une banque où nous n'avons pas de compte. Tous les gens médiocres ont de bonnes intentions.

Le bon est le plus grand ennemi du meilleur. Ne vous contentez pas du bon. Le fait de tolérer la médiocrité chez les autres contribue à vous rendre plus médiocre. Seule une personne moyenne est toujours à son meilleur.

Il est impossible de se faire une place au soleil en cherchant constamment refuge sous l'arbre familial. En avant! Lancez-vous! «Ceux qui font strictement ce pour quoi ils sont payés, ne sont payés que pour ce qu'ils font», a dit Elbert Hubbard. Donnez votre pleine mesure!

Les gens trop prudents brûlent les ponts de l'occasion avant même d'y arriver. La plupart de ceux qui restent assis à attendre la récolte n'ont rien planté. L'homme moyen ne veut pas grand-chose et reçoit habituellement encore moins.

Un acte vaut plus que mille bonnes intentions. «La sécurité est plus qu'une superstition. Cela n'existe pas dans la nature, et les enfants des hommes n'en font jamais l'expérience. Éviter le danger n'est pas plus sûr à long terme que de se montrer téméraire. La vie est une aventure qu'il faut oser vivre, sans quoi ce n'est rien.» (Hellen Keller)

Lâchez vos bonnes intentions
pour un bon départ

Vérité n° 49

Ne perdez pas d'excellentes occasions en cherchant uniquement des occasions en or

Jésus n'a jamais enseigné aux hommes comment gagner leur vie. Il a enseigné aux hommes comment vivre. «Dieu ne nous demande pas de réussir. Il nous demande d'être fidèles», a dit Elbert Hubbard. La plupart des gens visent des objectifs erronés. Votre objectif est-il d'acquérir plus d'argent, un poste plus élevé ou plus d'influence? Ce ne sont pas là de véritables objectifs, mais simplement les conséquences d'objectifs valables.

En quoi consiste un véritable objectif? En voici la définition: «Que le livre de cette Loi soit toujours sur tes lèvres: médite-le jour et nuit afin de veiller à agir suivant tout ce qui y est écrit. C'est alors que tu seras heureux dans tes entreprises et réussiras.» (Le livre de Josué 1, 8) Nous devrions travailler pour évoluer, et non pas pour acquérir uniquement des biens matériels.

Ne recherchez pas le succès. Recherchez plutôt la vérité, et vous trouverez les deux. «Cherchez d'abord le Royaume et sa justice, et tout cela vous sera donné par surcroît.» (Matthieu 6, 33)

«Le bonheur n'est pas une récompense, c'est une conséquence. La souffrance n'est pas une punition, c'est un résultat», a dit Robert Green Ingersoll. Faites de votre mieux, et laissez Dieu décider des résultats. Le po-

123

tentiel est le mot le plus vide de sens qui soit, mais avec l'aide de Dieu il peut déborder de gloire. Les morts qui ont ambitieusement tenté de conquérir le monde alors qu'ils étaient en vie, occupent une bien petite place sous terre! «Que sert donc à l'homme de gagner le monde entier, s'il ruine sa propre vie?» (Marc 8, 36) Les gens sont bizarres; ils dépensent de l'argent qu'ils n'ont pas, pour acheter des objets dont ils n'ont pas besoin, pour impressionner des gens qu'ils n'aiment pas.

Le succès ne consiste pas à réaliser ce que vous visez, mais à viser ce que vous devriez réaliser. Faites ce que Dieu veut que vous fassiez, et Il s'occupera du reste.

Cherchez Dieu d'abord, et les choses que vous désirez vous chercheront

Investissez en vous-même

Dieu nous envoie régulièrement des occasions d'essence divine d'investir en nous-même. Restez à l'affût de ces occasions. Il fait cela tout d'abord par Sa Parole, ce qui représente le meilleur investissement possible pour nous. Mais Il nous envoie également de nombreuses autres «occasions d'investir». J'en ai intégré beaucoup dans ma propre vie. Par exemple, ma femme et moi avons un «rendez-vous d'amoureux» chaque semaine, ce qui a beaucoup contribué à l'équilibre et à l'harmonie de notre mariage. De même, chaque samedi les enfants et moi nous «éclipsons» pour déjeuner tôt dans un restaurant. Cela m'a permis de passer de très bons moments avec mes enfants, tout en donnant à mon épouse la possibilité de se reposer.

Tout ce que vous dites et faites se traduit par un investissement quelque part. Le fait que cet investissement vous rapporte des dividendes ou se solde par une perte dépend de vous. Faites toujours de votre mieux, car vous récolterez plus tard ce que vous semez maintenant.

L'une des plus grandes erreurs que vous puissiez commettre, c'est de croire que vous travaillez pour quelqu'un d'autre. Peu importe le nombre de patrons que vous ayez, vous travaillez en fait pour le Seigneur. Votre source ne se trouve pas chez les autres. C'est pourquoi il est essentiel d'avoir recours aux occasions d'investir que nous envoie le Seigneur. C'est l'une des façons dont

Dieu nous permet d'évoluer et de nous instruire. Lorsqu'un archer manque son but, il cherche à savoir quelle erreur il a commise, et ne blâme pas sa cible. «Pour améliorer votre tir, commencez par vous améliorer.» (Gilbert Arland).

Lorsque la prospérité frappe à votre porte, sachez vous montrer économe. Faites-en profiter les autres, et investissez une partie en vous-même. Pour savoir véritablement ce que l'on veut, il faut tout d'abord savoir ce qu'on est prêt à sacrifier avant de parvenir à son but. Le temps que vous investirez à vous perfectionner vous empêchera de gaspiller du temps à désapprouver le comportement des autres.

«Efforce-toi de te présenter à Dieu comme un homme éprouvé, un ouvrier qui n'a pas à rougir, un fidèle dispensateur de la parole de vérité.» (II Timothée 2, 15) L'investissement n'est pas une dépense, il rapporte des dividendes. Vous ne pourrez pas réaliser votre destin sans observer tout d'abord le principe qui veut que vous investissiez en vous-même.

Saisissez les occasions que Dieu vous envoie d'investir en vous-même

Attendez-vous à l'opposé de ce que vous voyez autour de vous

L'une des raisons principales pour laquelle la Bible a été écrite fut de nous enseigner à attendre le contraire de ce que nous voyons autour de nous. De fait: «Je ne peux pas en croire mes yeux» est une déclaration extrêmement spirituelle, car Dieu nous demande de nous laisser guider par notre foi et non pas par notre vue. Une des lois du Seigneur est la loi des contraires, mentionnée dans Jean 3, 30: «Il faut que lui grandisse et que moi, je décroisse.» Dieu nous dit que nous devons donner pour recevoir, mourir pour vivre et servir pour mener. Dans ce monde de pôles opposés – ce que Pat Robertson appelle «le royaume à l'envers» – «On s'en va, on s'en va en pleurant, on porte la semence; on s'en vient, on s'en vient en chantant, on rapporte les gerbes.» (Les Psaumes 126, 6) Et «qui aura trouvé sa vie la perdra et qui aura perdu sa vie à cause de moi la trouvera.» (Matthieu 10, 39)

Lorsque la crainte s'empare de vous, attendez-vous au contraire à ce que la foi s'élève en vous.

Lorsque des symptômes attaquent votre corps, attendez-vous au contraire à ce que le pouvoir de guérison du Seigneur vous touche.

Lorsque la tristesse tente de s'attacher à vous, attendez-vous au contraire à ce que la joie jaillisse en votre être.

Lorsque la pénurie se fait sentir, attendez-vous au contraire à ce que Dieu pourvoie à vos besoins.

Lorsque vous vous sentez désorienté, attendez-vous au contraire à ce que la paix du Seigneur vous réconforte.

Lorsque l'obscurité tente de vous recouvrir de son voile, attendez-vous au contraire à ce que la lumière du Seigneur vous illumine.

Dieu choisit des hommes et des femmes ordinaires pour accomplir des travaux extraordinaires. «Aussi bien, frères, considérez votre appel. Il n'y a pas beaucoup de sages selon la chair, ni beaucoup de puissants, ni beaucoup de gens bien nés. Mais ce qu'il y a de fou dans le monde, voilà ce que Dieu a choisi pour confondre les sages; ce qu'il y a de faible dans le monde, voilà ce que Dieu a choisi pour confondre la force; (...) afin qu'aucune chair n'aille se glorifier devant Dieu.» (I Corinthiens 1, 26-27, 29)

Si vous vous sentez sot et faible tandis que vous accomplissez votre destin, n'ayez crainte. Dieu est prêt à vous aider et à se manifester par votre truchement. Le Sermon sur la Montagne fut prêché pour nous sortir de la Vallée du Découragement. Si vous voulez vous élever, commencez par explorer les profondeurs.

Cette idée est fort bien exprimée dans ce célèbre poème:

«Le doute voit les obstacles
La foi voit le chemin.
Le doute voit la nuit la plus sombre
La foi voit la lumière du jour.
Le doute craint de faire un pas
La foi s'élève vers les cieux.
Le doute pose la question: «Qui croit?»
La foi répond: «Moi.»»

– Auteur inconnu

*Les apparences sont trompeuses, surtout
quant il s'agit des premières impressions face
à vos problèmes*

Vérité nº 52

Mémorandum :

Destinataire: Vous
Expéditeur: Dieu
Date: Aujourd'hui
Objet: Ce que je pense de vous

Je voudrais vous dire que je vous connais depuis la nuit des temps. Je connais même chacun des cheveux de votre tête. Je vous ai créé consciemment et dans un but précis. Je vous ai regardé et j'ai vu que vous étiez formidable et magnifiquement fait. Je vous ai même créé à mon image.

Je connais les plans que j'ai dressés pour vous. Des plans visant à vous faire connaître la prospérité et non point à vous faire du mal. Des plans visant à vous donner de l'espoir et un avenir.

Je vous ai également doté de talents pour vous préparer et pour vous outiller afin que vous puissiez mettre mes plans à exécution. Les talents que je vous ai donnés sont irrévocables. Ne les négligez point. Utilisez-les!

Je veux que vous ayez confiance en ceci: lorsque j'entreprends une œuvre en vous, je la mène à bien jusqu'au jour de Jésus-Christ.

Même lorsque vous serez en proie aux tribulations que vous réserve le monde, je veux que vous sachiez que vous trouverez la paix en moi. Vivez dans la joie. J'ai conquis le monde.

Je tiens toujours mes promesses. Ma Parole est à jamais gravée dans les cieux et ma fidélité est assurée à toutes les générations. Ce que j'ai dit, je le ferai; ce que j'ai décidé, je le réaliserai aussi.

Vous pouvez vous tourner vers moi pour y trouver refuge et force, et mon aide sera présente dans les moments difficiles. Déchargez-vous de vos fardeaux sur moi et je vous soutiendrai. Je ne souffrirai jamais que le juste soit atteint. Venez vers moi lorsque vous êtes en proie à des difficultés et lorsque vous êtes accablé, et je vous donnerai le repos. Car je suis votre rocher, votre forteresse, votre libérateur, votre force en laquelle vous pouvez avoir confiance. Même lorsque vous tomberez, vous ne serez point détruit, car je vous soutiendrai de ma main.

N'écoutez pas les impies, évitez la compagnie des pécheurs et celle des hommes méprisants. Réjouissez-vous toute la journée de ma Parole. Ce faisant, vous serez comme un arbre planté au bord de la rivière. Vous serez chargé de fruits lorsque la saison viendra et vous trouverez la prospérité.

Enfin, je veux que vous sachiez que je vous aime. Je vous aime tant que je vous ai fait don de mon seul Fils. Si vous croyez en Lui, vous ne mourrez point et vous connaîtrez la guérison, la liberté, la victoire, le pardon, et la vie éternelle.

Un dernier mot

Soyez la personne unique que Dieu a voulu que vous soyez. Ne vous contentez de rien d'autre. Ne gardez pas le regard fixé vers le passé. Regardez devant vous et décidez dès aujourd'hui de franchir les étapes qui vous permettront de réaliser les plans qu'Il a dressés pour vous.

Et n'oubliez pas qu'il est dit dans la Bible: «Il est fidèle celui qui vous appelle: c'est encore lui qui fera cela.» (I Thessaloniciens 5, 24)

Quelques mots au sujet de l'auteur

John L. Mason est le fondateur et président de Insight International. Dans son église, on exhorte les croyants à utiliser tous leurs talents tout en menant à bien les plans que Dieu a dressés pour eux. Il est l'auteur de divers manuels et de cassettes audio concernant le leadership. Il détient un diplôme en Sciences et en Administration des affaires de l'université Oral Roberts.

Il a également la vocation de prêcher dans des églises, dans des organismes offrant des services aux hommes et aux femmes, et dans des groupes chrétiens.

John a eu la bénédiction d'être élevé dans un foyer chrétien à Fort Wayne, en Indiana, par ses parents, Chet et Lorene Mason. Il réside actuellement avec sa femme, Linda, et leurs quatre enfants, Michelle, Greg, Mike et David à Orlando, en Floride.

CHEZ LE MÊME ÉDITEUR
dans la même collection:

1001 maximes de motivation, *Sang H. Kim*

Accomplissez des miracles, *Napoleon Hill*

Attitude d'un gagnant, *Denis Waitley*

Attitude fait toute la différence (L'), *Dutch Boling*

Comment se faire des amis facilement, *C.H. Teeur*

Comment se fixer des buts et les atteindre, *Jack E. Addington*

De la part d'un ami, *Anthony Robbins*

Développez habilement vos relations humaines, *Leslie T. Giblin*

Développez votre confiance et votre puissance avec les gens,
    Leslie T. Giblin

Développez votre leadership, *John C. Maxwell*

Devenez la personne que vous rêvez d'être, *Robert H. Schuller*

Dites oui à votre potentiel, *Skip Ross*

En route vers le succès, *Rosaire Desrosby*

Enthousiasme fait la différence (L'), *Norman V. Peale*

Fonceur, (Le), *Peter B. Kyne*

Fortune en dormant (La), *Ben Sweetland*

Homme est le reflet de ses pensées (L'), *James Allen*

Homme le plus riche de Babylone (L'), *George S. Clason*

Magie de croire (La), *Claude M. Bristol*

Magie de penser succès (La), *David J. Schwartz*

Magie de s'autodiriger (La), *David J. Schwartz*

Magie de voir grand (La), *David J. Schwartz*
Mémorandum de Dieu (Le), *Og Mandino*
Pensée positive (La), *Norman V. Peale*
Pensez en gagnant! *Walter Doyle Staples*
Pensez possibilités! *Robert H. Schuller*
Performance maximum, *Zig Ziglar*
Personnalité plus, *Florence Littauer*
Plus grand miracle du monde (Le), *Og Mandino*
Plus grand secret du monde (Le), *Og Mandino*
Plus grand succès du monde (Le), *Og Mandino*
Plus grand vendeur du monde (Le) partie 2, suite et fin,
    Og Mandino
Puissance d'une vision (La), *Kevin W. McCarthy*
Provoquez le leadership, *John C. Maxwell*
Quant on veut, on peut! *Norman V. Peale*
Relations humaines, secret de la réussite (Les), *Elmer Wheeler*
Rendez-vous au sommet, *Zig Ziglar*
Retour du chiffonnier (Le), *Og Mandino*
S'aimer soi-même, *Robert H. Schuller*
Secrets de la confiance en soi (Les), *Robert Anthony*
Secrets d'une vie magique, *Pat Williams*
Sports versus Affaires, *Don Shula et Ken Blanchard*
Succès d'après la méthode de Glenn Bland (Le), *Glenn Bland*
Tout est possible, *Robert H. Schuller*
Université du succès (L'), tomes I, II, III, *Og Mandino*
Vie est magnifique (La), *Charlie T. Jones*
Votre droit absolu à la richesse, *Joseph Murphy*
Votre force intérieure T.N.T., *Claude M. Bristol et Harold Sherman*

En vente chez votre libraire ou à la maison d'édition
Prix sujets à changement sans préavis

Si vous désirez obtenir le catalogue de nos parutions,
il vous suffit de nous écrire à l'adresse suivante:
Les éditions Un monde différent ltée
3925, Grande-Allée
Saint-Hubert (Québec), Canada J4T 2V8
ou de composer le (514) 656-2660

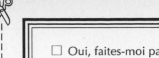

☐ Oui, faites-moi parvenir
le catalogue de vos
publications et les
informations sur vos
nouveautés

☐ Non, je ne désire pas
recevoir votre catalogue
mais seulement les
informations sur vos
nouveautés

OFFRE SPÉCIALE

OFFRE SPÉCIALE

OFFRE
D'UN
CATALOGUE
GRATUIT

Nom: _____

Profession: _____

Compagnie: _____

Adresse: _____

Ville: _____ Province: _____

Code postal: _____

Téléphone: (_____)_____ Télécopieur: (_____)_____

DÉCOUPEZ ET POSTEZ À:

Pour le Canada: Les éditions Un monde différent ltée
3925, Grande-Allée, Saint-Hubert,
Québec, Canada J4T 2V8

Pour la France: JLV
Boîte postale 94
77402 LAGNY sur MARNE (France)

NOTES

NOTES

NOTES

_____
_____
_____
_____
_____
_____
_____
_____
_____
_____
_____
_____
_____
_____
_____
_____
_____
_____
_____

NOTES

NOTES